FABbri
EDITORI

Carlotta Vagnoli

Maledetta sfortuna

Vedere, riconoscere e rifiutare la violenza di genere

FABBRI
EDITORI

Pubblicato per

da Mondadori Libri S.p.A.
Proprietà letteraria riservata
© 2021 Mondadori Libri S.p.A., Milano

ISBN 978-88-915-8519-6

Progetto grafico: wetstudio.works
Impaginazione: Corpo4 Team

Prima edizione Fabbri Editori: settembre 2021
Sesta edizione Fabbri Editori: novembre 2021

Crediti:
La canzone "FBYC (sfortuna)" citata a p. 160, scritta da Niccolò Contessa,
è contenuta nell'album dei Cani *Glamour*, pubblicato il 22 ottobre 2013 per
l'etichetta discografica 42 Records.

MALEDETTA SFORTUNA

A Gianna e Valerio.
Perché quando tutto è andato in pezzi
siete stati voi ad attutire l'atterraggio.
Come da trentaquattro anni a questa parte.

Questa
non è la mia storia.
Questo libro non è su di te.
Questo libro è su tutte le cose
che ho imparato
dopo di te.
Che è ben diverso.
Qui, di te, non c'è più alcuna traccia.

Una volta mi dicesti
che le puttane come me
non muoiono mai.

Cazzo se avevi
ragione.

Sommario

Capitolo 1

COME NASCE LA VIOLENZA

Stereotipi di genere e categorizzazioni tossiche

*L*a prima volta che ho sentito
parlare di violenza di genere
è stato durante le scuole medie:
una formatrice venne nella mia classe
per darci delle informazioni
su cosa fosse, come riconoscerla
e come combatterla.

Non capii subito il perché fosse definita "di genere", questa violenza: dopotutto un pugno è un pugno, pensai, che lo scagli un uomo o una donna poco cambia.

Ma la storia che vi racconto nel libro che avete per le mani parte da molto prima che questo pugno venga scagliato e fa capire come i gesti di violenza siano profondamente diversi tra loro e così radicati nel tempo e nella nostra memoria da diventare spesso subdoli, difficili da riconoscere. Si nascondono nel nostro quotidiano, nei giornali che sfogliamo, nelle parole che sentiamo a scuola o al lavoro, mentre passeggiamo per strada. Le radici di cui parlo sono così lunghe che, per rintracciarne le origini, dovremmo compiere un viaggio indietro nei secoli fino alle società primordiali.

È infatti allora che furono stabiliti dei ruoli e delle gerarchie precisi che, se da un lato sembravano funzionali alla costruzione e al mantenimento dell'ordine, con il passare del tempo (e in seguito alle evoluzioni sociali, umane e tecnologiche) si sono rivelati tossici e claustrofobici. Le radici di cui parlo hanno un nome e si chiamano stereotipi di genere.

Gli stereotipi sono una serie di formule pensate per descrivere al meglio qualcosa.

Comunemente, nella nostra società, a una femmina vengono associati il concetto di bellezza, il colore rosa e i capelli lunghi; a un maschio si tendono ad abbinare invece il concetto di forza, il colore blu e i capelli corti.

Viene automatico farlo a quasi tutte le persone del mondo occidentale, perché queste connessioni logiche sono talmente insediate in noi fin dalla primissima infanzia da diventare patrimonio culturale comune. Immaginiamo di chiedere a un bambino in età prescolare di distinguere tra "maschio" e "femmina": questa definizione – nella maggior parte dei casi – toccherà in primis la gamma dei colori (blu/rosa), successivamente il tipo di giochi connessi al genere (per i maschi quelli di azione o di guerra, per le femmine le bambole) e infine le caratteristiche umane e morali da adottare (i maschi non piangono mai, le femmine sono gentili e premurose). Non conosciamo esattamente quando e a chi sia da attribuire l'origine di questi costrutti logici; sappiamo solo che l'uomo li ha tramandati nei secoli, attraverso la tradizione orale prima e quella scritta in seguito.

Elena Gianini Belotti, nel suo libro fondamentale *Dalla parte delle bambine*, pubblicato da Feltrinelli nel 1973, fa una preziosa analisi di come questo tipo di ragionamento sulle caratteristiche stereotipate del sesso sia presente ancora prima della nascita di una persona.

Al tempo in cui Belotti scrisse il saggio, in Italia non era ancora diffusa l'ecografia prenatale che permetteva di conoscere il sesso del nascituro prima del parto (esame che in America veniva effettuato già da qualche anno). Molte usanze popolari promettevano di indovinarlo con certezza quasi scientifica, per esempio la semplice osservazione di alcune caratteristiche della futura madre, come la forma della pancia, il suo umore, il periodo del concepimento in relazione alla fase lunare; in altri casi, ci si appellava a ritualità al limite della magia e della superstizione (contare i granelli di riso che la donna prende in un pugno, rompere un osso di pollo a forma di forcella, far cadere una monetina lungo la schiena della madre – sotto i vestiti – e osservare su che lato questa cade per terra).

Solitamente, osserva Belotti, le caratteristiche premonitrici della nascita di un neonato maschio sono tutte in positivo: i grani saranno dispari (sempre uno in più), la pancia più grande, l'osso di pollo più lungo, la monetina cadrà dalla parte della testa, la madre sarà più allegra durante la gravidanza.

Queste credenze portano inevitabilmente ad augurarsi che il nascituro sia un bambino, ma ci fanno anche capire come molte associazioni mentali, che quasi consideriamo naturali, siano in realtà retaggio di costrutti di stampo paternalistico, tesi a connotare, etichettare e dividere in categorie ben definite i due sessi.

Stando ad alcuni preconcetti molto comuni e

tuttora vigenti, si pensa che i maschi siano – per loro stessa natura – più vitali e vivaci delle femmine, alle quali invece vengono associate caratteristiche di passività, docilità e discrezione; che i figli siano forti e vivaci e le figlie minute e silenziose.

Questa divisione netta altro non è che, come lo definisce Belotti, un "gioco delle aspettative", che inizia ben prima che la persona nasca e che non avrà mai fine se non si scardinerà il sistema degli stereotipi.

Sempre secondo alcune "dicerie" (sulle quali, però, si è basata la quasi totalità delle decisioni e delle diagnosi fino all'avvento della moderna medicina ostetrica e ginecologica), il parto è più facile quando nasce un maschio; sarà invece più lungo e doloroso se viene al mondo una bambina, come se il feto contribuisse alla sofferenza della sua stessa venuta al mondo.

Con l'idea, dunque, che una figlia femmina sarà meno produttiva e avrà un valore sociale inferiore rispetto al maschio, ecco che generazioni e generazioni, per secoli e ancora oggi, si augurano di concepire bambini di sesso maschile.

Spesso le coppie continuano a cercare di "fare il maschio", come se questo portasse a compimento un desiderio sociale più grande e universale, dando alla famiglia qualcosa che la femmina non sarebbe mai in grado di donare: sopravvivenza della stirpe, produttività e, in definitiva, molti meno problemi.

Non è raro che, ancora oggi, quando nasce una femmina la madre si senta dire frasi che suonano più o meno così: «Godetevela, perché quando sarà signorina vedrete che incubo, diventano ingestibili e hanno un bel caratteraccio».

Avete mai sentito dire lo stesso di un maschio? Esatto, nemmeno io. Anzi, di solito è descritto come dolce e coccolone, che ama la sua mamma e non se ne separa mai, neanche in età adulta: non mi sembra quindi così peculiare che, credendo in queste logiche stereotipate, si preferisca l'idea di partorire un figlio anziché una figlia.

Questa idea è sopravvissuta ai secoli poiché, sebbene la società evolva in modo piuttosto rapido (pensate al secondo dopoguerra: in meno di vent'anni l'Italia abbandonò la dimensione rurale e decentrata delle campagne per abbracciare il boom economico ed espandere le città a dismisura), le strutture psicologiche sociali cambiano con estrema difficoltà, e rimangono vive e attive soprattutto nei nuclei in cui gli individui ricevono un'educazione.

La trasmissione degli stereotipi
quindi avviene prima di tutto
all'interno della famiglia
e dei piccoli nuclei sociali;
solo successivamente si estende
attraverso i canali di massa,
come la tv, il cinema, i libri,
l'arte stessa. Già, perché
se ci facciamo caso, troveremo
stereotipi di genere in tutto ciò
che ci circonda.

Se, per esempio, entrate in un museo, che differenza capita spesso di notare tra le rappresentazioni maschili e quelle femminili, nei quadri o nelle statue? Le femmine sono quasi sempre nude, i maschi molto frequentemente accompagnati ad armi.
E anche in molte fiabe popolari, da quelle dei fratelli Grimm alla loro versione cinematografica a opera della Disney, vedremo quanto le rappresentazioni maschili combacino con quelle dei principi forti e senza paura (vestiti di blu: coincidenze? Non credo proprio) che affrontano ogni avversità con coraggio e spavalderia, senza mai piangere né provare fatica.
Le principesse, invece, non hanno molto da fare

se non aspettare di essere salvate, trovate o sposate nei loro vestiti rosa.
E nei film?

In certi film capita
che ci troviamo davanti
a una dinamica molto simile
a quella delle fiabe: in molti generi
possiamo infatti individuare
esempi in cui la sindrome dell'eroe
viene attribuita agli uomini
e la necessità di essere salvate
alle donne (da *Pretty Woman*
a *Il Gladiatore*, passando
per le pellicole di Hitchcock
e *Via col vento*).

I cliché si ripetono all'infinito, soprattutto nei sottogeneri come l'horror e le commedie romantiche, le famose *rom-com*: nel primo caso, avremo la bionda che muore nei primi dieci minuti e l'uomo che risolve il mistero rischiando costantemente di restarci secco, mentre nel secondo troveremo uno stuolo di protagoniste il cui unico scopo è indossare l'abito bianco. Per fortuna, di recente anche nei sottogeneri si cominciano a fare dei passi avanti in questo senso.

Anche la pubblicità non esce indenne da tale stereotipizzazione, anzi, molto spesso la cavalca: ci invoglia a comprare rasoi per uomini virili, lamette delicate e rosa per donne che devono necessariamente essere lisce perché "non sia mai che la donna abbia dei peli, che cosa contronatura!".

E nel mondo musicale? Ora che avete capito, fateci caso: sapreste nominare almeno un paio di brani che fanno seguito a questa interpretazione della società?

Tutto ciò è per farvi capire quanto queste dicotomie siano costanti e sottili, proposte da ogni attore della società in qualunque momento della nostra giornata e della nostra formazione di adulti.

Sfuggirne è praticamente impossibile. Anche perché, oltre a questi meccanismi che chiameremo "esterni", ve ne sono alcuni altrettanto prepotenti che sono quelli "interni" e che si sviluppano nel nucleo familiare e nelle relazioni che intessiamo con il mondo che ci circonda: con gli amici, nei gruppi di studio, in classe, nelle associazioni sportive. Ognuna di queste micro-strutture tende infatti a rafforzare gli stereotipi, più che a distruggerli.

Pensiamo a una famiglia conservatrice che vieta ai maschi di truccarsi e alle femmine di mettere gonne corte o giocare con le macchinine. Oppure che riserva ai figli lo sport competitivo e alle figlie quello di figura (come la ginnastica ritmica e artistica, la danza e il pattinaggio: sono chiamati "ad alta componente estetica" e non a caso sono appannaggio perlopiù del genere femminile).

È evidente che in questo calderone non è facile uscire dagli schemi che ci vengono imboccati fin dalla più tenera età e che non prevedono alcuna alternativa al binarismo di genere. Il bambino sarà portato a pensare che truccarsi, anche solo per gioco, sia sbagliato e la bambina che giocare con le macchinine la renda "diversa", quindi fuori luogo.

Si parla di binarismo quando classifichiamo il genere in due forme soltanto, quella maschile e quella femminile appunto, facendo riferimento unicamente alle caratteristiche biologiche dell'individuo, secondo uno schema semplice quanto brutale:

**pene = uomo,
vulva = donna.**

Le identità non binarie sono tutte quelle che non corrispondono – in parte o in toto – ai due generi sopracitati. In che senso? Ci sono persone la cui identità non viene rispettata dalla scelta obbligata tra uomo e donna. Questo vuol dire essere *non-binary*, ovvero far parte di uno spettro che può comprendere persone *gender-fluid*, *genderqueer*, *agender*, *transgender*, *no gender* e via dicendo.

Le scelte possibili non sono dunque così limitate e soffocanti: un approccio basato sulla pluralità consentirebbe un'identificazione più vasta, permettendo all'individuo di riconoscersi come altro e salvaguardando l'unicità della propria identità, anche quando non rientra in schemi di origine millenaria.

Il non-binarismo entra e si colloca nella società in un posto alquanto scomodo, in mezzo cioè a categorizzazioni fisse che soffocano l'identità delle persone. Il rischio è che gli stereotipi, sul lungo andare, si possano costituire come matrice primaria della tossicità e quest'ultima possa portare proprio alla violenza di genere.

Ed ecco il nucleo centrale della questione: sono gli stereotipi di genere che alimentano la violenza sulle donne e sulle persone non binarie.

Ma questo passaggio ulteriore perché avviene?

La violenza nasce
per antonomasia quando
si vuole prevaricare l'altro,
oppure quando non si accetta
quella che chiamerei per praticità
"scala di grigi": le reazioni
e le convenzioni devono essere
polarizzate, o bianco o nero,
o dentro o fuori. Tutto ciò
che rimane escluso dalla suddetta
polarizzazione è condannabile
dal senso comune.

Un'analisi ISTAT pubblicata nel 2019 fa emergere dati inquietanti, che ci aiutano a comprendere meglio questa connessione tra stereotipi e violenza (vedi grafico alla pagina seguente). L'indagine, condotta nel 2018 su un campione di popolazione italiana tra i 18 e i 74 anni, mostra come il 32,5% degli intervistati pensi che la realizzazione nel lavoro sia più importante per gli uomini che per le donne e il 27,9% che sia il genere maschile a dover provvedere al mantenimento della famiglia. Che gli uomini siano invece meno adatti a occuparsi delle faccende domestiche lo pensa il 31,5%.

Persone di 18-74 anni per grado di adesione ad alcuni stereotipi sui ruoli tradizionali di genere. Anno 2018, valori percentuali

Legenda: Molto d'accordo | Abbastanza | Poco | Per niente d'accordo

Gli uomini sono meno adatti a occuparsi delle faccende domestiche

Per l'uomo, più che per la donna, è molto importante avere successo nel lavoro

È soprattutto l'uomo che deve provvedere alle necessità economiche della famiglia

In condizioni di scarsità di lavoro, i datori di lavoro dovrebbero dare la precedenza agli uomini rispetto alle donne

È l'uomo che deve prendere le decisioni più importanti per la famiglia

0%   25%   50%   75%   100%

Il 58,8% della popolazione fra i 18 e i 74 anni, senza particolari differenziazioni tra uomini e donne, si ritrova in questi stereotipi, più diffusi con il crescere dell'età (65,7% dei 60-74enni e 45,3% dei giovani).

Interessante notare come i lavori che hanno a che fare con la cura della casa così come della famiglia, e che non vengono retribuiti e riconosciuti dallo Stato come vera e propria occupazione, sono ancora ampiamente abbinati alla figura femminile, il cui status economico dipende spesso dagli introiti dell'uomo di casa.

Questo aspetto ci conduce alla scoperta e all'analisi di altri dati, molto più inquietanti, come quello emerso da uno studio promosso dal Dipartimento delle Pari Opportunità.[1] Sul tema della violenza nella coppia, il 7,4% delle persone ritiene accettabile, sempre o in determinate circostanze, che un ragazzo schiaffeggi la sua fidanzata perché ha civettato/flirtato con un altro uomo; il 6,2% che, all'interno di una coppia, possa scappare uno schiaffo ogni tanto.

Rispetto al controllo, invece, sono più del doppio (17,7%) le persone che ritengono accettabile, sempre o in determinate circostanze, che un uomo controlli abitualmente il cellulare e/o l'attività sui social network della propria moglie/compagna.

[1] https://www.istat.it/it/archivio/235994

Questi dati suggeriscono che il controllo di un genere sull'altro non venga recepito come atto di cattiveria, bensì sia tollerato e accettato per via di prassi che, replicate e tramandate di generazione in generazione, portano a pensare in modo spontaneo che la vita di coppia sia in primis una questione di possesso.

Ma il sondaggio non si ferma qui.

Alla domanda sul perché alcuni uomini siano violenti con le proprie compagne/mogli, il 77,7% degli intervistati risponde: perché le donne sono considerate oggetti di proprietà (84,9% donne e 70,4% uomini), il 75,5% perché fanno abuso di sostanze stupefacenti o di alcol e un altro 75% per il bisogno degli uomini di sentirsi superiori alla propria compagna/moglie.

La difficoltà di alcuni uomini a gestire la rabbia è indicata dal 70,6%, con una differenza di circa otto punti percentuali a favore delle donne rispetto agli uomini.

Ecco svelato l'arcano: secondo un'iper-semplificazione in auge da sempre, la donna è di proprietà dell'uomo;

quando non sottostà alle regole implicite di una società che vede in questa subordinazione una regola fissa e necessaria per la sua stessa sopravvivenza (la cosiddetta "società patriarcale" appunto), può subire episodi di violenza che trovano giustificazione proprio nello stereotipo dell'uomo dispotico nei confronti della donna non remissiva.

Se ciò può sembrare assurdo di per sé, si pensi che non è di molto tempo fa (per la precisione, del 1981) l'abolizione del delitto d'onore che voleva l'assoluzione per l'uomo che, macchiatosi del femminicidio della moglie, si dichiarasse costretto "a doverlo fare" per questioni di gelosia e tradimento, questioni che si pensava "rovinassero l'onore" di chi possedeva la donna.

Simile è il processo mentale e culturale che prevede che la famiglia della sposa porti in dono a quella dello sposo una dote, che altro non è se non una serie di beni materiali e pecuniari per favorire una compravendita in cui la sposa diventa, per l'appunto, di proprietà del consorte.

Insomma, il procedere per stereotipi porta ad accettare determinati comportamenti basati sul pregiudizio non soltanto il singolo ma intere società, che si fondano proprio su una distinzione di genere preconfezionata. Questo risultato dà a sua volta il via a una serie di problematiche a più livelli. Ed è qui che si può scorgere l'origine di ciò che possiamo definire "il seme della violenza".

Gli stereotipi, insomma, non fanno altro che rafforzare l'idea di una marginalità femminile, laddove la donna vive unicamente in una relazione subordinata all'azione maschile,

proprio come nel paradosso della principessa chiusa nella torre cui accennavo prima: la donna non è la parte attiva della sfera pubblica. E questo è visibile anche nei mezzi di comunicazione.

Ogni cinque anni, il GMMP (Global Media Monitoring Project) analizza le rappresentazioni di genere nei canali di informazione; la raccolta di questi dati fa emergere un trend (ovvero un andamento costante, in sociologia) molto preciso: in una giornata tipo, solo il 25% delle notizie diffuse da radio, tv e giornali parla di donne; il 27% invece sono articoli che narrano di gesta o di personaggi femminili sul web. Il 68% di queste donne citate dalle news non ha una professione di rilievo ai fini della notizia. Al contrario, la maggioranza degli uomini descritti sono "esperti di settore".[2]

[2] https://whomakesthenews.org/wp-content/uploads/2021/07/GMMP-2020.Highlights_FINAL.pdf

Questo ci porta a capire come lo stereotipo della donna di casa sia imperante anche nella comunicazione che ci arriva dai media. Tema caro alle autrici Sveva Magaraggia ed Elisa Giomi che, nel loro testo *Relazioni brutali. Genere e violenza nella cultura mediale* pubblicato nel 2017 da Il Mulino, osservano come queste rappresentazioni, riproposte costantemente, non facciano altro che aumentare il divario tra uomo e donna, reiterando un ordine gerarchico ben preciso: ancora una volta, l'uomo pubblicamente in una posizione di potere e la donna relegata alla sfera privata. Ed è questo dunque che finiamo per aspettarci anche nella vita di tutti i giorni dalle persone che ci circondano.

Ma perché queste condizioni tacite sono così difficili da affrontare e soprattutto cambiare? Sempre, per l'appunto, per il condizionamento che questi stereotipi creano nella collettività stessa, anche a livello inconscio.
La mancanza di conformità a tali schemi fa sì che le persone in esame siano reputate non idonee alla categoria di cui fanno parte o di cui hanno fatto parte fino ad allora. Infatti, l'uomo che cerca di allontanarsi dal branco, l'uomo che piange e l'uomo che non fa a pugni per difendere l'onore vengono considerati "femminucce".
Stesso discorso vale per l'uomo che perdona un tradimento; in questo caso verrà additato come

il "povero cornuto" e la donna come una "troia" (sì, l'ho scritto senza censurarlo: è l'offesa che una donna si sente rivolgere più spesso, ed è usata senza alcun criterio. Personalmente credo che il depotenziamento del termine passi proprio dall'annullamento della censura che lo accompagna).

Lo stereotipo va a braccetto con il pregiudizio – ovvero un giudizio anticipato sulla base di determinati fattori – che ha come scopo evitare all'intera comunità di trovarsi in situazioni "spiacevoli".

Per questo risulta molto difficile sbarazzarsene: chi compie il tradimento viene giudicato colpevole a priori; nel caso specifico, la donna viene non solo condannata ma anche ritenuta inadatta a ricoprire il ruolo sociale di compagna/moglie/madre. Di conseguenza, la sua azione è limitata e il suo pensiero sminuito; nei casi più estremi assistiamo alla perdita del lavoro e all'allontanamento dalla comunità o dalla famiglia, fino addirittura ai casi in cui le viene tolta la prole.

Un esempio lampante è un recente fatto di attualità che vede protagonista Tiziana Cantone, vittima di *revenge porn* (parleremo di questo reato più avanti) il cui video intimo è stato divulgato online senza il suo consenso e la sua reputazione massacrata proprio perché si distaccava dai canoni imposti sul genere femminile, gli stessi che vedono imperare la dicotomia santa/puttana. Guardiamo anche le calciatrici: se fai uno sport da uomo non sei sensuale; nel caso delle celebrità social, se sei una imprenditrice planetaria e mamma, come nel caso di Chiara Ferragni, devi mostrarti pudica e fare ciò che "ti riesce meglio", in altre parole, secondo molti, stare zitta.

In quest'ottica allarmante, quando un uomo picchia o uccide la compagna, si pensa subito che lei "se la sia cercata" perché non si conformava alle aspettative e alle richieste della società; richieste che, nel caso della coppia, sono state disilluse, lasciando l'uomo senza alcun potere sulla compagna, moglie o fidanzata. E, beffa ancor più grande, come già abbiamo visto, per essere "un vero maschio" un uomo deve abbracciare proprio la violenza e farne parte integrante della propria vita, usandola all'occorrenza: tale procedimento si chiama normalizzazione e consiste nel rendere accettabile un comportamento eticamente sbagliato sull'onda di una prassi consolidata.

Lo stereotipo dell'uomo "che non deve chiedere mai" si è esteso anche e soprattutto alla sfera sessuale: se la donna infatti è vista come eterna sottomessa, e se la violenza è appannaggio dell'uomo, quest'ultimo potrà far valere la sua sessualità "secondo natura" imponendo le proprie regole al genere che ritiene "inferiore".

In questo senso, con giustificazioni mortificanti verso l'intelligenza umana del tipo: «Eh, ma sai, noi maschi siamo fatti così, non riusciamo a frenare gli istinti e gli ormoni» si fanno passare per normali comportamenti come molestare, fischiare, abbordare, mandare in chat le *dickpics* (foto del pene inviate senza il consenso di chi le riceve: è una pratica purtroppo molto diffusa), palpare e seguire le donne. Tutte azioni considerate accettabili al fine di far valere un diritto di natura che, in verità, di naturale ha ben poco.

L'idea che si possa fare alla "preda" (che gergo rincuorante, vero, quello del corteggiamento? Paragonarlo a una battuta di caccia in cui, per antonomasia, l'animale viene ammazzato dal cacciatore) ciò che si vuole e senza il suo esplicito consenso è figlia di questo ragionamento che, in inglese, si può riassumere con una frase tanto potente quanto semplice: «*Boys will be boys*» ovvero, tradotta alla meno peggio: «So' ragazzi, lasciali fare».
La deresponsabilizzazione che avvolge gli stereotipi sul genere maschile ha creato dunque un cortocircuito logico, la cui conseguenza diretta è che non esiste un freno a determinate azioni nei confronti della donna, se non il buonsenso privato del singolo, che tuttavia si trova in difficoltà a dissociarsi dalle situazioni di branco in cui vige (si suppone) una mascolinità performativa.

Ma, dall'altro lato, proprio questa mascolinità performativa, se non accolta assertivamente dalle donne, è la miccia che innesca la colpevolizzazione: ecco che quindi vengono tacciate come inadatte, frigide, frustrate o come coloro che, semplicemente, "se la sono andata a cercare".

La prassi colpevolizzante
che vuole delegittimare
le donne non conformi ai modelli
imposti ha portato a una duplice
fenomenologia: quella
del *victim blaming* e quella
dello *slut shaming*.

Lo *slut shaming* (letteralmente: stigma della puttana) è un meccanismo per cui la collettività è portata a giudicare una donna che si allontana dall'immagine pura e addomesticata che dovrebbe avere. Il metro di giudizio comprende sia il piano estetico che quello d'azione.
Sono sotto esame i vestiti, il modo di truccarsi, i capelli e le fattezze fisiche della persona: se, per esempio, una ragazza indossa abiti "troppo" corti (in questo senso, "troppo" è virgolettato perché, nell'ottica di ribaltare gli stereotipi di genere non esiste un abito troppo corto rispet-

to a un altro) sarà additata come una troia. Idem se posterà sui social foto in costume o mentre adotta pose sensuali. Se hai le tette grosse, sorella, tanti auguri: verrai sessualizzata sempre, ma se le scopri un po' ti diranno che sei una facile. Ovviamente anche il numero dei partner con cui si ha avuto una relazione influisce sul giudizio morale: se una ragazza ha più esperienze sessuali con persone differenti allora sarà considerata una poco di buono. La cosa grottesca è che il giudizio che daremmo di un uomo nella stessa situazione sarebbe diametralmente opposto:

un ragazzo che ha avuto molte esperienze è visto dalla collettività come un *bomber*, uno che sa il fatto suo. Si pensi, per esempio, alla fama che i calciatori hanno in questo campo. Bene: adesso pensiamo a quella delle veline. Chiaro il concetto?

Ecco spiegato **il doppio standard, ovvero l'applicazione di principi di giudizio diversi per situazioni simili, o nei confronti di persone diverse che si trovano nella stessa situazione.**

Ciò avviene, è sempre bene specificarlo, perché la figura femminile è caricata di aspettative sia morali che di comportamento. La "necessità" invece viene attribuita alla figura maschile, la quale sembra portata di natura ad accoppiarsi con più persone.

In questo senso si riesce a comprendere meglio come mai ci sia da sempre il bisogno di controllare il corpo delle donne e averne il monopolio, anche e soprattutto in termini di salute (vedi: aborto, verginità, ciclo mestruale e così via).

In questo panorama si sviluppa in modo quasi automatico il secondo atteggiamento di controllo del femminile, ovvero il *victim blaming*.

Il *victim blaming* – cioè la colpevolizzazione della vittima – è a tutti gli effetti una delle cosiddette aggressioni secondarie a cui è sottoposta una persona che abbia subìto violenza, e consiste nell'additarle la responsabilità del reato di cui è stata, per l'appunto, vittima.

Nella pratica, questo atteggiamento è riassumibile con la famosa frase che viene spesso dedicata alle *survivors* di stupro: «Te la sei cercata».

Sembra paradossale, lo so, ma è uno dei comportamenti più comuni nella nostra società patriarcale e ha uno scopo ben preciso: spartire la colpa sollevando dalla responsabilità chi ha attivamente compiuto il reato.

Così facendo, da un lato si mantiene saldo lo standard secondo il quale uomini e donne non sono sullo stesso piano, ma i primi sono in netto vantaggio sulle seconde; dall'altro permette di non focalizzarsi sulla problematica vera e propria e quindi di non affrontarla in modo concreto. Un diverso approccio infatti potrebbe rivoluzionare sia l'educazione sessista sia gli stereotipi che la rafforzano, e ciò fa paura.

Impedire nette condanne è un meccanismo che purtroppo a volte viene traslato anche all'interno delle stesse aule di Tribunale.

Uno degli esempi tristemente noti di condanne che, in parte, manlevano l'accusato dalla colpa del reato sessuale commesso è la famigerata "sentenza dei jeans" del 1999 in cui, secondo il giudice, la vittima non avrebbe combattuto poi così tanto visto che, citando il testo «(... il jeans) non si può sfilare nemmeno in parte senza la fattiva collaborazione di chi lo porta».

Degna di nota è anche la vicenda del 2006, nella quale la Cassazione reputò meno grave lo stupro di una quattordicenne perché non illibata e dunque sessualmente più esperta di quanto ci si possa aspettare da una ragazza della sua età.

Il *victim blaming* ha un'inquietante peculiarità: non viene applicato per ogni reato, ma solo per alcuni, quelli che esulano dal concetto di "vittima ideale" teorizzato da Nils Christie, criminologo norvegese.

Si definisce vittima ideale una persona che si

trovi in condizioni di svantaggio, all'interno di circostanze inevitabili. Christie ritiene che abbiano condizioni di svantaggio soltanto due categorie di persone: bambini e anziani. Questo conferma come il giudizio su uno stupro sia ben più divisivo di quello su un furto: a nessuno verrebbe mai in mente di additare chi è stato svaligiato come connivente perché se l'è andata a cercare. Idem per una frode bancaria o una rapina a mano armata. Insomma: secondo il senso comune, il fattore che cambia le carte in tavola è la non-illibatezza.

Queste metodologie di colpevolizzazione danno vita a una sovrastruttura in cui la normalizzazione della violenza di genere è all'ordine del giorno.

Il nome di tale sovrastruttura è *rape culture* o "cultura dello stupro".

No, non siamo davanti a un modello di civiltà alla Gotham City, nessun iper-cattivo e niente sparatorie da Far West. La cultura dello stupro indica un tipo di assetto sociale in cui la violenza di genere è normalizzata. Ha una struttura piramidale: alla base ci sono i comportamenti tipici della mascolinità performativa indotta dagli stereotipi di genere, che aprono la strada alle varie forme di violenza contro la donna (vedi pagina seguente).

RAPE CULTURE

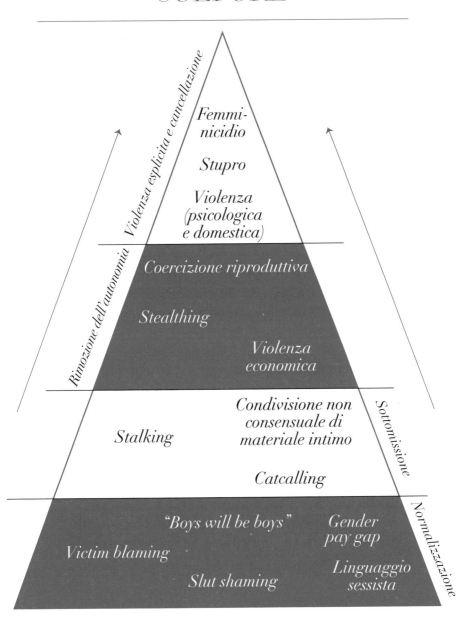

Violenza esplicita e cancellazione

Rimozione dell'autonomia

Femmi-nicidio

Stupro

Violenza (psicologica e domestica)

Coercizione riproduttiva

Stealthing

Violenza economica

Stalking

Condivisione non consensuale di materiale intimo

Catcalling

Sottomissione

Normalizzazione

"Boys will be boys"

Gender pay gap

Victim blaming

Slut shaming

Linguaggio sessista

Alla base troviamo il *catcalling*, le molestie e le palpate non richieste, le frasi sessiste sul lavoro e nel privato, ma anche l'oggettificazione del corpo della donna.

Risalendo la piramide, iniziamo a individuare forme di reato più strutturate, come lo stalking e la condivisione non consensuale di materiale intimo, le violenze fisiche e psicologiche, lo stupro, la violenza domestica. Infine, in vetta, l'eliminazione della figura della donna e della persona, ovvero il femminicidio.

Vedremo più avanti tutti questi reati nello specifico e ne analizzeremo il background. Ma ricordiamoci che ognuna di queste forme di violenza deriva proprio dalla questione da cui abbiamo cominciato: la stereotipizzazione dei sessi.

La prospettiva appena descritta, oltre a non essere rincuorante, non accenna a migliorare. Anzi, soprattutto negli ultimi anni i riflettori sono puntati proprio su questi temi, sia a fronte di un'impennata dei numeri, sia di una mobilitazione nazionale e internazionale che ha preso il via in seguito a eventi di un certo calibro; eventi che hanno smosso le coscienze collettive evidenziando le problematicità di una società in cui la cultura dello stupro agisce indisturbata.

Il più grande movimento
di questo stampo è innegabilmente
#MeToo, nato nel 2017 sul web
con una modalità a catena fatta
partire da un tweet dell'attrice
statunitense Alyssa Milano,
che incitava le donne a denunciare
pubblicamente le molestie
subite: in poche ore,
su Facebook l'hashtag era stato
usato 4,7 milioni di volte.

L'intento della catena era – ed è, visto che continuano a emergere nuove testimonianze – quello di portare alla luce il fenomeno della violenza di genere, nello specifico legata alle molestie sul lavoro o commesse da una persona in posizione di potere.

La portata dell'evento è stata mastodontica e universale: dagli Stati Uniti ha abbracciato in poche ore l'Europa e l'Asia, connettendo tra loro milioni di donne e facendo luce in primis sui casi nati a Hollywood per poi diventare una metafora per tutti gli abusi collettivi.

La metodologia usata è quella del *call out*, ovvero dell'esporre pubblicamente il nome della persona abusante, anche e soprattutto al fine di incitare altre possibili vittime alla denuncia. Non è raro infatti che un *abuser* in posizione di potere commetta (o abbia commesso) più volte lo stesso reato sessuale senza essere stato mai punito e, talvolta, neppure denunciato. Nel caso di Harvey Weinstein, le vittime che si sono fatte avanti sono più di ottanta. Un centinaio fra molestie, abusi di vario genere e stupri nell'arco dei circa trent'anni di attività come super-produttore di Hollywood. Questo è il tempo che ci è voluto prima che una delle *survivors* trovasse la forza di esporre pubblicamente le proprie esperienze.

Quando mi trovo ad aiutare una vittima, non è raro che altre *survivors* si facciano avanti: questo effetto ha preso il nome – per l'appunto – di "MeToo". Di recente il MeToo ha investito anche un caso di cronaca italiana ben noto come quello che vede protagonista l'imprenditore Alberto Genovese, in attesa di processo per violenza sessuale.

La portata di eventi del genere fa capire quanto la cultura dello stupro si alimenti fondamentalmente di tre cose: una struttura piramidale, uno squilibrio di potere e una mortificante omertà di base che si ritorce sulle vittime.

Già, perché la sopravvivenza di questa sovrastruttura è possibile proprio grazie alla paura delle vittime di essere tacciate di opportunismo (non di rado sentiamo frasi come: «Lo ha fatto per soldi» oppure: «È a caccia di notorietà»). È dunque fondamentale denunciare non soltanto per avere i numeri precisi di un fenomeno che, a giudicare dai dati a nostra disposizione, mostra un incremento costante, ma anche per responsabilizzare finalmente chi è stato, molto spesso e talvolta per anni, al di sopra della legge. Denunciare diventa fondamentale altresì alla creazione di una società più consapevole e, di conseguenza, di istituzioni maggiormente preparate nel ricevere coloro che escono dal circuito della violenza e che, troppo spesso, si trovano porte chiuse in faccia. Purtroppo, in opposizione all'encomiabile lavoro della rete dei Centri Anti-Violenza, c'è una carenza da parte dello Stato che, per primo, dovrebbe proprio sorreggere e supportare chi si occupa di vittime di genere e contemporaneamente punire gli *abusers*.

Capitolo 2

LA RADICE DELLA VIOLENZA

*I primi campanelli d'allarme
e le battute che fanno male*

*A bbiamo visto come nasce la
violenza e che viaggio compiano
gli stereotipi per radicarsi
e rafforzarsi
nelle nostre menti.*

Il sistema di pregiudizi inficia completamente gran parte delle nostre relazioni con le altre persone, creando aspettative sociali che si pensa debbano essere realizzate per poter avere una relazione soddisfacente.

Quando qualcuno fa qualcosa che non rientra in questo schema precostituito, iniziano i problemi: perché non rispettare dei ruoli così rassicuranti, fissi e senza margine di errore?

Capiamoci subito: in realtà nessuno sconvolge qualche regola. Chi si allontana da un codice morale stereotipato lo fa per salvaguardare la propria identità e morale, cose mai scontate all'interno di società della performance come la nostra.

La reazione di chi invece rimane nella bolla rassicurante e vede qualcuno distaccarsene sono molteplici e, come abbiamo visto, la teoria del branco insegna a liberarsi di chi trasgredisce. Ci sono molti modi in cui si può punire qualcuno che non si presti a seguire le regole.

Il primo è il linguaggio usato per marginalizzare chi sgarra. Abbiamo già visto come si possa fare appello a ciò che definiamo linguaggio sessista. Se non ci si ferma soltanto ai vari: «Sei una femminuccia», «Baby», «Hai il ciclo?» e ai commenti sulle donne al volante, si passa a un livello successivo, che è una diretta esasperazione dei ruoli di genere preconfezionati.

Esistono veri e propri campanelli d'allarme che ci permettono di capire quanto l'idea di subordinazione che la società patriarcale ha previsto per la donna e per le categorie marginalizzate stia prendendo una naturale deriva violenta.

Il voler continuamente ripetere, per esempio, a una collega o a una subordinata sul lavoro: «Io ti rovino quando voglio» è un primo step. Già, perché dire a una donna che la si vuole rovinare sottintende che la sua reputazione sia in mano a un'altra persona, in questo caso all'uomo, la figura che detiene il potere.

Non è poi così assurdo se lo andiamo ad analizzare meglio: non è raro, infatti, che si dia più credibilità a figure maschili che femminili, sia nella vita sociale sia sui luoghi di lavoro.

Pensiamo alla credibilità che hanno gli uomini accusati di violenza nonostante le prove contro di loro (mi viene in mente Alberto Genovese ma anche il sopracitato Weinstein, o l'attore Louis CK) in contrapposizione alle voci di centinaia di *survivors* che ne denunciano i comportamenti abusanti. Ma anche al numero di posizioni di lavoro per i quali vengono scelti gli uomini al posto delle donne, perché idealmente ritenuti più idonei e seri, anche se i numeri ci dicono il contrario. Secondo i dati ISTAT, in Italia solo il 28%[3] del-

---

[3] https://www.ansa.it/europa/notizie/la_tua_europa/notizie/2021/03/05/italia-tra-ultimi-in-ue-per-percentuale-di-donne-manager_d13da831-0b73-4086-8f1e-ce3c6ce20200.html

le posizioni dirigenziali sono affidate a donne (in Europa il tasso è del 33,9%, anche qui non andiamo benissimo). Questo avviene proprio perché l'avanzamento di carriera è più normalizzato per gli uomini, ritenuti inclini alla leadership e alla pragmaticità.

Insomma, si tende a considerare più affidabili gli uomini in quasi ogni campo della vita e questo facilita l'idea che, in caso di lite, l'opinione pubblica si schieri più spesso con la parte maschile che con quella femminile.

Il discorso si cristallizza
quando viene riportato
alla sfera intima e sentimentale:
la tendenza a "possedere"
la reputazione della partner
diventa centrale in moltissime
dinamiche di potere
che rendono una relazione
tossica e abusante.

In tali meccanismi, si passa dall'idea di non far più parlare la "propria donna" con amici o ex fidanzati, al volerne rovinare la nomea infangandola e dandole della puttana se questa rifiuta delle avance.

A chi non è mai capitato? Sia su Instagram sia

nella vita reale, più volte mi è successo di ricevere dei: «Puttana frigida» in risposta a educati: «No, mi spiace, non sono interessata». Le volte in cui non vengo insultata è quando comunico a chi ci sta provando che ho un partner, ma solo perché allora scatta la dinamica di rispetto per un altro uomo.

La smania di controllo che si radicalizza porta a voler isolare la donna da tutto ciò che la circonda, per renderla proprietà unica della persona abusante.

Perciò, agli inizi delle relazioni tossiche, si verificherà un processo graduale di isolamento della stessa, nonché cicli di test volti a esaminare la serietà dei suoi sentimenti tramite "prove d'amore".

Di solito, queste sono avvisaglie di una relazione che si sta costruendo attorno a un sistema di violenze psicologiche, che basano tutto sul ricatto e sulla paura di essere lasciate; in questi casi, forse i più subdoli, non è inusuale sentire frasi come: «Se non levi quella foto da Insta ti mollo» oppure: «Se rimetti di nuovo quella gonna non ti parlo più».

Ricordo che all'inizio della mia relazione abusante io ero molto colpita dai gesti che il mio aguzzino faceva per me: sembravo dentro una commedia romantica, era un continuo regalarmi cose, dirmi frasi degne di film da Disney+ e fare plateali dichiarazioni d'amore dopo poche settimane di frequentazione. Diceva di non aver mai trovato una veradonna™ come me e di non essere mai stato meglio, che nessuno mai lo aveva capito prima e che io no, io non ero come le altre. Permettetemi qui una breve digressione a mo' di spoiler: quando qualcuno vi dice questa frase scappate veloci come Usain Bolt sui cento metri piani, perché sottintende che esistano donne di serie A, ovvero le famose veredonne™, e donne di serie B, patetiche e che nessuno vuole. Non è così, è una bugia inventata dal patriarcato per tenerci divise e in costante competizione, nonché per impedirci di dedicare tempo alle cose in cui mettono bocca soltanto i veriuomini™.

Tornando al mio caso, tutto procedeva alla velocità di una Lamborghini col pedale a tavoletta, e a me sembrava quasi irreale: pensavo di averlo trovato, pensavo di essere davanti al famoso principe azzurro di cui tanto si parla. Ma poco dopo ho iniziato a capire che nella realtà non era così; i principi azzurri esistono solo nelle favole, e rigorosamente in quelle scritte dagli uomini.

Le azioni eccessivamente sdolcinate possono dimostrarsi una pericolosa esca per accaparrarsi la fiducia della lei di turno e, una volta ottenuta, è semplice inserire sapientemente delle micro-aggressioni che su due piedi non siamo in grado di riconoscere. Almeno, non subito, e spesso quando (e se) succede, è troppo tardi.

Le assillanti prove di affetto
si chiamano *love bombing*,
letteralmente un bombardamento
di cliché sull'amore, condito
dalla ripetizione di dinamiche tese
a far sì che l'altra persona
non noti le sottili forme
di controllo che si fanno
man mano più frequenti.

Tra una rosa e una cena romantica, potrebbero essere pronunciate frasi come: «Sai, io ti preferisco senza rossetto rosso perché ti involgarisce, e tu non ne hai bisogno» e anche: «Che ne dici se ti compro io dei vestiti? Dai, ci divertiamo insieme, così ti vedi con addosso qualcosa che ho scelto con gli occhi dell'amore».

In uno scenario simile, ben presto mi sono trovata a non mettere più il rossetto, a usare solo smalto trasparente e a vestire con un orrendo abito a fiori che sembrava quello di mia zia, ma che a lui piaceva così tanto e mi aveva regalato perché a suo avviso mi donava «valore rispetto a quelle cose attillate e tutte nere» che indossavo di solito.

Questo meccanismo si è evoluto in modo naturale, così che io vedessi quanto lui fosse coinvolto e arrivassi a pensare che una persona così non poteva che essere sincera fin nel midollo. Mi sentivo protetta dallo sguardo di uno che vedeva il mio valore e che lo voleva amplificare. Non gli ci volle molto per mostrare i primi dubbi e sintomi di fastidio sui miei amici e sul mio lavoro, e la gelosia si estendeva anche ai membri della mia famiglia: ero "sprecata", dunque non era corretto passare del tempo con loro. Lui voleva aiutarmi anche e soprattutto professionalmente (al tempo facevamo lo stesso mestiere) e per questo dovevo staccarmi da quella che lui, professionista del settore in cui lavoravamo, definiva mediocrità.

Il senso di queste azioni l'ho capito molto dopo, a mente fredda: lui voleva isolarmi, io ero ormai la sua preda. La gelosia e la smania di possesso nei primi stadi si manifestano proprio con queste mosse subdole di infusione di fiducia e messa in dubbio del contorno sociale a cui fai riferimento. In poco tempo ci si ritrova sole, senza lavoro, con poche amiche e tutte molto selezionate.

Il gioco era fatto, poteva mangiarmi a suo piacimento.

Questo è un esempio di come si possa svolgere la prima parte di una relazione violenta. In tale fase si gioca tutto sul terreno della psicologia, proprio per questo spesso è difficile da riconoscere.

Anche perché tutte siamo cresciute con i miti degli uomini galanti e fiabeschi, e le mie amiche trovavano le sue azioni terribilmente romantiche e degne di un uomo speciale, premuroso, da mille e una notte.

Motivo in più per cui nessuno mi ha creduta quando ho denunciato le violenze. Non mi hanno creduta neppure quando avevo la faccia livida e i segni dello strangolamento sul collo, ma questa è una storia differente, una storia che si basa proprio su quella credibilità negata cui accennavo poco sopra e che riprenderemo più avanti nel libro.

La connessione che intercorre
tra le continue richieste del partner
abusante e il costante tentativo
di esaudirle da parte della vittima
è il senso di colpa.

Si finisce infatti per credere di essere nel torto e superficiali perché, se una persona così speciale si infuria dopo averci fatto vivere cotanto paradiso, sicuramente avremo sbagliato noi qualcosa.

Il tentativo costante da parte della vittima di rimediare ed esaudire ogni richiesta fa parte del meccanismo della violenza psicologica, che si attua in più fasi.

Da Wikipedia, si chiama violenza psicologica «un insieme di atti, parole o sevizie morali, minacce e intimidazioni utilizzati come strumento di costrizione e di oppressione per obbligare gli altri ad agire contro la propria volontà. La violenza psicologica non utilizza la forza fisica e si manifesta principalmente con parole e atti tesi a coercire la volontà di altre persone».

Oltre al continuo ricatto e alle promesse di migliorare, con pentimenti annessi, la violenza psicologica fa uso di uno strumento chiamato *gaslighting*.

Il *gaslighting* prende il suo inquietante nome da un'opera teatrale del 1938 di Patrick Hamilton intitolata appunto *Gaslight*. Racconta la storia di un marito che, per nascondere il proprio tradimento, cerca di far impazzire la moglie cambiando l'intensità delle luci delle lampade a gas (luce a gas in inglese è *gaslight*).

Ogni volta che la moglie gli chiede se sia stato lui a modificare le luci, lui risponde di no, che è stata lei, solo che non se lo ricorda.

Il *gaslighting* funziona esattamente in questo modo: la vittima subisce una sorta di lavaggio del cervello e viene portata a pensare di aver detto o fatto cose che in verità non ha mai compiuto.

La manipolazione prevede una serie di passaggi che smontano pezzo dopo pezzo l'autostima e le certezze della vittima e che, infine, la portano all'isolamento.

È un vero e proprio ricatto emotivo che, prolungato nel tempo, può condurre alla sudditanza emotiva.

Secondo il centro di analisi cognitivo-comportamentale IPSICO di Firenze, il *gaslighting* avviene in più fasi.

La prima è quella della svalutazione progressiva, che prevede l'uso di commenti intrusivi, prima ironici poi sempre meno velati, fino a instillare veri e propri dubbi.

In una seconda fase c'è il condizionamento, ovvero la somministrazione di piccoli premi per aver fatto determinate cose cedendo a piccole e grandi prepotenze: un viaggio, una cena o, più frequentemente, sesso.

Il terzo movimento di questa sinfonia degli orrori è la punizione del silenzio, ovvero la completa scomparsa del *gaslighter*. L'annullamento totale e repentino delle comunicazioni manda nel panico più totale la vittima di manipolazione che, ormai, appare stremata e sempre più confusa, divorata dal senso di colpa.

Le frasi con cui possiamo capire precocemente di avere a che fare con un *gaslighter* sono, secondo la dottoressa e psicologa Ramani Durvasula, le seguenti: «Non essere così permaloso!», «Non devi sentirti così», «Guarda che ti ricordi male (come sempre)», «Questo non è mai successo, ti inventi le cose», «Ma stai bene? Mi sto preoccupando per te perché dici cose strane».

La maggior parte delle manipolazioni di questo tipo avviene all'interno delle relazioni sentimentali, ma sono schemi usati anche in legami parentali e di amicizia, nonché lavorativi.

È fondamentale conoscere e rintracciare le "origini del male" perché la riabilitazione dopo la violenza psicologica è lunga e chi esce da una relazione di questo tipo non ha più una reale consapevolezza di sé. Ricordo che, qualche tempo dopo essermi liberata del mio *abuser*, mi trovai al supermercato senza ricordare cosa mi piacesse mangiare prima di essere fatta a pezzi da lui: era stato in grado di confondere anche le cose più basilari di tutte.

Capitolo 3

LE TIPOLOGIE DEL MALE, DAL *CATCALLING* IN POI

Qualche definizione (e qualche numero)

*Q*uando si parla di violenza sulla donna si intende, come detto nel primo capitolo, una serie di manifestazioni differenti accomunate dalla stessa radice culturale, ovvero quella sessista.

RAPE CULTURE

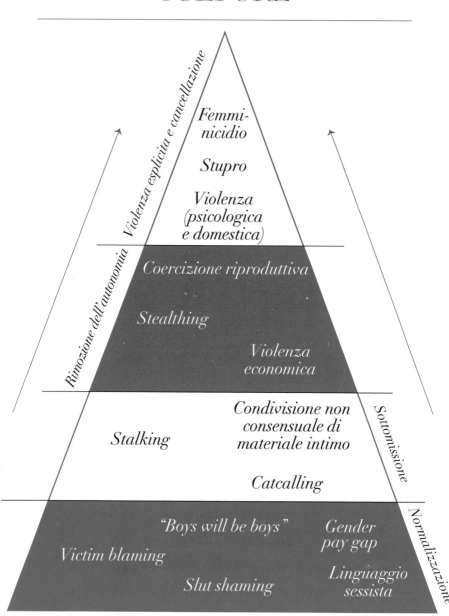

Femmi-
nicidio

Stupro

Violenza
(psicologica
e domestica)

Coercizione riproduttiva

Stealthing

Violenza
economica

Stalking

Condivisione non
consensuale di
materiale intimo

Catcalling

"Boys will be boys"

Gender
pay gap

Victim blaming

Linguaggio
sessista

Slut shaming

Violenza esplicita e cancellazione

Rimozione dell'autonomia

Sottomissione

Normalizzazione

La violenza si declina infatti in molte forme: nel capitolo precedente abbiamo esaminato la violenza verbale e quella psicologica, ora vedremo altri piani dello schema piramidale illustrato precedentemente e che vi ripropongo nella pagina precedente.

Come vedete, alla base ci sono i comportamenti verbali che proteggono e supportano la cultura dello stupro: dalle chiacchiere da spogliatoio che, per antonomasia, oggettificano la persona, alle battute coercitive e punitive sullo stupro; dal difendere le azioni maschili a ogni costo fino al *victim blaming* e al rafforzamento degli stereotipi di genere.

Abbiamo già analizzato questi aspetti che rappresentano proprio le fondamenta del fenomeno. Proseguiamo adesso verso l'alto, incontrando la prima manifestazione di violenza verso una donna: il *catcalling*.

La parola *catcalling* viene dall'inglese e deriva dal suono che si fa appunto quando si chiama un gatto. Per "chiamare il gattino" si intendono dunque tutte quelle manifestazioni che solitamente avvengono in strada o in luoghi pubblici e che ancora si fanno passare per "complimenti e apprezzamenti".

Si va quindi da suoni, fischi, commenti indesiderati e allusioni sessuali ad avance, clacson suonati al passaggio sul marciapiede, palpeggiamenti sui mezzi o per strada fino all'accerchiamento in gruppo della persona e al pedinamento.

Lo so, lo so: generalmente si pensa che molte di queste azioni non siano ascrivibili alla sfera della violenza.

Ma non c'è niente di più falso. Il *catcalling* è violenza.

Lo spiega perfettamente Emma Clit, fumettista e autrice di *Bastava chiedere. Dieci storie di femminismo quotidiano* (Laterza) nella striscia illustrata che racconta proprio della concatenazione degli elementi che compongono la cultura dello stupro.

L'autrice si sofferma su come gli intenti di chi commette *catcalling* siano proprio gli stessi alla base di uno stupro; siamo quindi davanti alla normalizzazione vera e propria di un fenomeno che non dovrebbe avere niente di normale.

Se ci facciamo caso, molte persone, quando sentono qualcuno che confessa di aver subito *catcalling*, rispondono con un giudicante: «Eh, va be', che sarà mai? Mica ti hanno violentata» come per sottolineare la genuinità/bonarietà del gesto. Gesto che anzi, spesso viene difeso, intendendolo come un apprezzamento o un complimento.

Chiamarlo complimento
è proprio cercare di sminuire
un atto e far accettare
a chi lo subisce di essere
"una persona privilegiata",
che ha appena ricevuto
un incredibile apprezzamento
e una validazione esterna
nonostante non fosse stata
richiesta. Già, ma perché
ci hanno abituate a credere
che questo atteggiamento
sia accettabile?

Ce lo spiega benissimo un increscioso siparietto avvenuto in radio durante la famosa estate pandemica del 2020 (come se il Covid non fosse abbastanza).
Lo psichiatra e opinionista televisivo Raffaele Morelli, intervistato su RTL a giugno 2020, difese in diretta l'aforisma di Françoise Sagan, drammaturga francese, che recita: «Un vestito non ha senso a meno che ispiri gli uomini a volertelo togliere di dosso».
Morelli ribadì non solo quanto queste parole fossero veritiere, ma aggiunse anche una frase piuttosto iconica – e non in senso lusinghiero –

ovvero: «Se una donna esce di casa e gli uomini non le mettono gli occhi addosso deve preoccuparsi. Puoi fare l'avvocato o il magistrato, ottenere tutto il successo che vuoi ma il femminile in una donna è la base su cui avviene il processo, il femminile è il luogo che trasmette il desiderio; se le donne non si sentono a proprio agio con il proprio vestito tornano a casa a cambiarselo, noi uomini siamo più unilaterali, la donna invece è la regina della forma, la donna suscita il desiderio: guai se non fosse così...».

Le parole di Morelli rispecchiano brutalmente il senso comune, sempre basato sugli stereotipi di genere, per cui la donna si fa bella e anzi, deve essere bella per gli occhi maschili, come se fosse un lavoro, il suo ruolo.

Risulta già chiaro quanto esista un'idea di femminile come accessorio volto a compiacere lo sguardo altrui, oggetto da usare a proprio vantaggio per mostrarsi e per trasformare una donna comune in una veradonna™.

Se non bastasse quanto già formulato, il giorno dopo, intervistato in diretta su Radio Capital da Michela Murgia, lo psichiatra ha dichiarato che «la radice femminile, i codici del femminile sono antichissimi, primordiali, siccome il femminile è la base della crescita e dello sviluppo in ogni donna, se il femminile viene soffocato come accade in molte patologie una donna perde la possibilità di realizzare la sua pienezza, la

sua identità e questo non è che lo dico io ma lo dice la psicanalisi da moltissimi anni».
Non penso ci voglia molto per confutare l'affermazione: la retorica usata qui somiglia più a sessismo, che non a psicanalisi. Sembra quasi che sia giusto difendere chi ci manda i bacini per strada perché in quel momento starebbe dando valore alla nostra persona, al nostro subconscio, al nostro senso di appartenenza forzata a un genere.

Alla lunga, la paura di ricevere commenti che sono a tutti gli effetti molestie porta le donne a cambiare le proprie abitudini e i propri gusti, a evitare le gonne, un certo trucco e certi vestiti, a modificare il percorso da fare per tornare a casa dopo il lavoro o il parco in cui si va a correre.

E non per difendere il proprio femminile, bensì per difendere se stesse dalla mascolinità performativa e tossica di chi commette *catcalling*. Questo fenomeno raggiunge numeri da capogiro nel mondo ma anche, come dimostra una ricerca di Hollaback! con Cornell University, nel nostro Paese (vedi grafico alla pagina seguente).

IL CATCALLING
IN ITALIA.

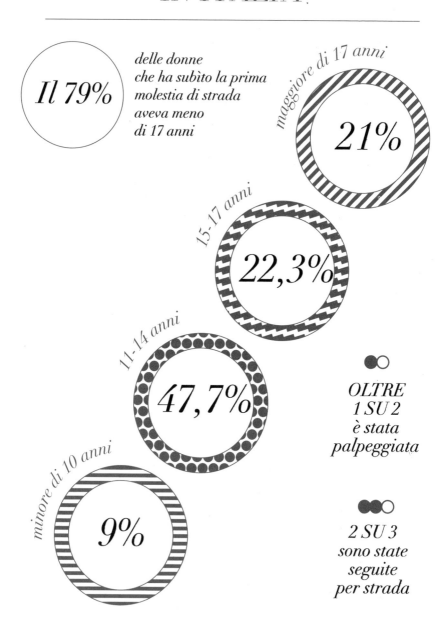

Il 79% delle donne che ha subìto la prima molestia di strada aveva meno di 17 anni

maggiore di 17 anni
21%

15-17 anni
22,3%

11-14 anni
47,7%

minore di 10 anni
9%

OLTRE 1 SU 2 è stata palpeggiata

2 SU 3 sono state seguite per strada

Gli ultimi dati – unitamente a quelli ISTAT che fanno emergere che, nel 2018, oltre otto milioni di donne, 8.816.000 per l'esattezza, tra i 14 e i 65 anni (cioè il 43,6% del totale) sono state vittime di molestie sessuali – ci aiutano a capire quanto il *catcalling* sia un atteggiamento sistemico, radicato nella nostra cultura e che non tiene conto di differenze di età, orientamento sessuale, etnia, fisicità.
È culturale e ogni individuo è a rischio, ogni giorno, a qualsiasi ora.
Se vi servisse sapere che non siete le uniche vittime di *catcalling*, vi consiglio di seguire una pagina Instagram – @sonosolocomplimenti – che racconta centinaia di storie di quotidiana violenza e *street harassment*.

La seconda fenomenologia di violenza di genere, che è anche una fattispecie di reato codificato dall'art 612 bis e ter c.p., è lo **stalking**.
Lo stalking è commesso, per definizione del codice penale, da «chiunque (il quale), con condotte reiterate, minaccia o molesta taluno in modo da cagionare un perdurante e grave stato di ansia o di paura ovvero da ingenerare un fondato timore per l'incolumità propria o di un prossimo congiunto o di persona al medesimo legata da relazione affettiva ovvero da costringere lo stesso ad alterare le proprie abitudini di vita».

La definizione di atti persecutori individua nella reiterazione delle molestie (intese come minacce, pedinamenti, ripetuti contatti non voluti quali chiamate, messaggi, inbox, email, citofonate) un comportamento violento che crea nella vittima una situazione di panico e ansia, nonché di timore di perdere la libertà e la propria vita.

Non è raro che tutte queste forme di controllo e intimidazione, infatti, trasformino le abitudini di chi le subisce: sono molte le vittime che si trovano costrette a modificare la propria routine, cambiare numero o indirizzo email, in molti casi anche cambiare casa. Insomma, si tratta di un vero e proprio stillicidio che rende invivibile la quotidianità, infondendo in chi lo subisce paure e ansie. Non a caso è frequente che le persone che escono da questa routine di violenze siano soggette a sindrome da stress post-traumatico, proprio come i veterani di guerra e – lo vedremo nel prossimo capitolo – le vittime di stupro.

Come ogni violenza di genere, lo stalking ha come movente il controllo diretto e l'imposizione della propria forza su chi viene preso di mira.

L'incapacità di gestire la fine di un rapporto o anche solo l'idea che una persona sconosciuta possa essere "nostra" sono pensieri tossici promossi dal maschilismo imperante che vuole l'affermazione sopra a ogni cosa, anche al rispetto dei limiti altrui.

Lo stalking può avvenire tra due persone che non hanno rapporti tra loro, tra persone che hanno avuto una relazione che si è poi conclusa, all'interno di relazioni di tipo abusivo oppure viene compiuto da individui malati che idealizzano il possesso su qualcuno che in realtà non ha mai dato segnali di interesse. In alcuni casi di relazione abusante, non è raro che partner violenti arrivino addirittura a installare dei software per monitorare l'altra persona, o che la pedinino quando non sono insieme.

È una deriva della ricerca di potere e controllo, si manifesta in svariati modi e può durare anche anni. Io stessa ho seguito casi di donne che hanno subìto stalking anche per cinque anni e che, quando poi ne sono uscite – stremate – si sono rese conto di quanto sfibrante sia cambiare la propria vita e, soprattutto, vivere in costante allerta.

Le manifestazioni dello stalking sono innumerevoli e spesso altalenanti e oscillano tra atti d'odio e dichiarazioni deliranti.

A febbraio 2021 è avvenuto l'ennesimo femminicidio da inizio anno: quello di Clara Ceccarelli, uccisa all'interno del suo negozio a Genova dall'ex compagno con più di cento coltellate. La donna da un anno subiva atti persecutori da parte dell'uomo. Aveva anche deciso di pagarsi già il proprio funerale, proprio per il climax che questi episodi avevano raggiunto nell'ultimo periodo.

Lo stalking non è infatti
da sottovalutare mai, anzi,
va denunciato affidandosi a mani
esperte, coinvolgendo anche
la polizia postale se necessario:
la prevenzione e la tutela vanno
ricercate subito, perché subire
passivamente spesso può dare
l'impressione al carnefice
di cedimento.

Le tabelle di p. 69 raccolgono dati ISTAT che mostrano il numero di denunce per stalking in Italia dal 2014 al 2016.

La **violenza economica** è la terza manifestazione di controllo che viene sistematicamente

Descrizione reato	Nr. reati commessi 2014	Inc. % vittime di sex femminile
Atti persecutori	12.446	76,98%

Descrizione reato	Nr. reati commessi 2015	Inc. % vittime di sex femminile
Atti persecutori	11.758	75,79%

Descrizione reato	Nr. reati commessi 2016	Inc. % vittime di sex femminile
Atti persecutori	13.117	73,64%

usata per far dipendere la persona dal partner. Questa è la definizione che ne dà Wikipedia: «La violenza economica si riferisce ad atti di controllo e monitoraggio del comportamento di una persona in termini di uso e distribuzione del denaro, con la costante minaccia di negare risorse economiche, esponendola a debiti, o ancora impedendole di avere un lavoro e un'entrata finanziaria personale e di utilizzare le proprie risorse secondo la sua volontà. La violenza economica riguarda essenzialmente la sfera familiare e gli equilibri di coppia e consiste in una serie di comportamenti volti ad impedire che il familiare sia o possa diventare economicamente indipendente, per poter esercitare sullo stesso un controllo indiretto, ma estremamente incisivo. Ogni aspetto legato alla gestione finanziaria viene monopolizzato dal congiunto in posizione di "superiorità economica", mentre il soggetto posto in uno stato di dipendenza, è costretto a richiedere le risorse necessarie per le spese quotidiane e a giustificarne l'utilizzo».

Se pensiamo alla società di stampo patriarcale, ci viene facile dividere i ruoli: mamma a casa e uomo che mantiene la famiglia. Questa, tra le più semplici e primordiali delle stereotipizzazioni, se radicalizzata ha conseguenze massacranti in termini di possesso, limitazione dell'autonomia e soprattutto possibilità di autodeterminarsi.

La violenza economica colpisce tutte le persone che non possono controllare il proprio denaro né disporne, spesso costrette ad allontanarsi dal lavoro e a cui si vieta di trovarne un altro per potersi guadagnare l'indipendenza.

Già, perché la parola chiave di questa declinazione di violenza è proprio indipendenza: con un personale apporto monetario si gettano infatti le basi per avere la possibilità di una vita autonoma e per poter ricominciare altrove, lontano dalla relazione abusante e dal partner carnefice. Eliminare alla radice questa opportunità rende dipendente dall'*abuser* e impedisce alla donna di allontanarsi e mettersi in salvo.

La facilità con cui questa modalità di sopraffazione si compie è facilitata da un tessuto sociale ampiamente influenzato dalla cultura sessista. Le politiche di accesso al mondo del lavoro, infatti, non sono per niente favorevoli all'universo femminile.

Basti pensare alle tipologie di contratti: le donne sono più soggette a contratti a tempo determinato o part-time perché su di loro ricade, nella quasi totalità dei casi, il lavoro di cura, in ambito familiare, non retribuito.
A p. 73, una tabella dei dati raccolti dal ministero dell'Economia nel bilancio di genere del 2019 mostra chiaramente quanto l'occupazione femminile sia meno garantita da politiche di welfare che tutelino le donne madri e dividano equamente il lavoro di cura tra i genitori.

Il 73,2% delle donne italiane ricorre al part-time e questa scelta, nel 60,4%, dei casi è forzata proprio a causa del poco tempo disponibile. I redditi complessivi sono il 25% in meno e il 65% delle donne fra i 25 e i 49, con figli piccoli fino ai 5 anni, non sono disponibili a lavorare per motivi legati alla maternità e al lavoro di cura. Questo secondo un'indagine di Maria Cecilia Guerra, sottosegretaria del ministero dell'Economia.[4]

In tale quadro si inseriscono dati ben più allarmanti: una ricerca ISTAT afferma che «le ripetute flessioni congiunturali dell'occupazione registrate tra marzo e giugno 2020, unite a

---

[4] https://www.corriere.it/speciale/cronache/2020/donne-lavoro-covid-occupazione-femminile/

PART-TIME

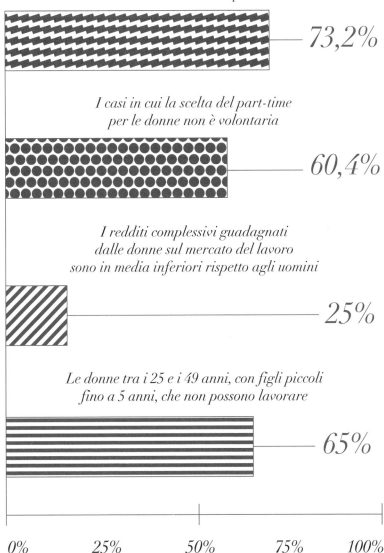

Le donne
che ricorrono al lavoro part-time

73,2%

I casi in cui la scelta del part-time
per le donne non è volontaria

60,4%

I redditi complessivi guadagnati
dalle donne sul mercato del lavoro
sono in media inferiori rispetto agli uomini

25%

Le donne tra i 25 e i 49 anni, con figli piccoli
fino a 5 anni, che non possono lavorare

65%

0%   25%   50%   75%   100%

quella di dicembre, hanno portato l'occupazione a un livello più basso di quello registrato nel dicembre 2019 (meno 1,9%, pari a meno 444.000 unità). La diminuzione coinvolge uomini e donne, dipendenti (meno 235.000) e autonomi (meno 209.000)».

Solo nel mese di dicembre, su 101.000 posti di lavoro in meno, 99.000 erano quelli femminili. La maggior precarietà della forza lavoro femminile deriva dal fatto che le donne sono maggiormente occupate nei servizi, nei lavori precari, con contratti determinati o per i quali è possibile licenziare.

Il dato fa capire come la società stessa abbia due metri di giudizio – e accessibilità – differenti in base al genere di appartenenza, anche per quanto concerne il mondo del lavoro. Perciò non è così assurdo e impossibile, anzi, esercitare una forma di controllo economico succube e abusante su una partner, allo scopo di creare una dipendenza pressoché totale.

Come spiega Maria Luisa Bonura nel suo testo *Che genere di violenza. Conoscere e affrontare la violenza contro le donne* (Erikson), per "controllo" si intende il condizionamento e l'uso dell'altra persona. La pretesa, sostiene Bonura, può essere legata anche all'idea che la donna non debba diventare d'intralcio e, al contrario, debba accontentarsi di stare al suo posto di madre, moglie, garante dell'unità della coppia.

Bonura annovera la dipendenza economica tra i vincoli che permettono alla violenza domestica (che analizzeremo più avanti) di mantenersi e alimentarsi.

In un'ottica di controllo, infatti, questa forma di restrizione provoca in chi la subisce uno straniamento poiché «la possibilità di trovarsi libere dal maltrattante, ma assolutamente prive di disponibilità economica o totalmente dipendenti dai servizi socio-assistenziali o da familiari per il proprio sostentamento è spesso la prospettiva di una notevole perdita di status e di una nuova forma di dipendenza per di più ignota e ancor meno prevedibile nelle sue implicazioni di quella – perlomeno già conosciuta – dal maltrattante».

Ecco dunque spiegata la forza di questo tipo di controllo: l'oblio del dipendere da terze persone o enti che non si conoscono e la condizione di riuscire a convivere con il controllante.

In quest'ottica, bisognerebbe ragionare sull'introduzione di redditi universali garantiti e accessibilità raddoppiate per i soggetti a rischio come le donne, che diventano marginalizzate nel mondo socio-economico.

Altra forma di violenza, anch'essa subdola e di cui, soprattutto in Italia, si parla ancora molto poco, è quella che ha a che fare con il sabotaggio della contraccezione, ovvero lo *stealthing*. Letteralmente, lo *stealthing* consiste nella rimozione o manomissione del preservativo durante l'atto sessuale, senza il consenso della persona con cui sta avvenendo il rapporto che, letteralmente, non diventa più protetto.

Un episodio di questo tipo è stato mostrato molto chiaramente e per la prima volta nella serie tv inglese (ancora non portata in Italia da nessuna piattaforma) *I May Destroy You*. In una scena Arabella, la protagonista, ha un rapporto sessuale con un uomo che, mentre lei è girata, si sfila il preservativo e conclude l'atto sessuale senza che lei lo sappia. Sul momento, quando lui le dice cosa ha fatto, lei sottovaluta la cosa. Ma, dopo aver fatto ricorso alla contraccezione d'emergenza, sentendo un podcast realizza quanto questa sia, a tutti gli effetti, una violenza e privazione del consenso, che mette a rischio la salute della donna e la espone a una gravidanza indesiderata.

Si tratta di una vera e propria forma di stupro che rientra nella cosiddetta coercizione riproduttiva,

ovvero la tipologia di abuso in cui una persona controlla le scelte riproduttive di una donna al suo posto, monopolizzando l'uso della contraccezione (anche quella di emergenza come la pillola del giorno dopo o dei cinque giorni dopo) e l'accessibilità alla pratica dell'interruzione volontaria di gravidanza (abbreviata in IVG). La coercizione riproduttiva, così come lo *stealthing*, possono essere fenomeni anche passivi, in cui è la donna in rari casi a manomettere la contraccezione per rimanere incinta.

Per capire bene la natura abusante di questo gesto ci viene in aiuto un prezioso paper di Alexandra Brodsky per il «Columbia Journal of Gender and Law».

Brodsky ha intervistato più donne vittime di *stealthing* per capire le loro reazioni emotive sapendo di aver avuto un rapporto in cui il significato iniziale di consenso era venuto meno.

Brodsky teorizza un duplice livello di problematicità: il primo è connesso al contatto diretto del pene con le mucose vaginali che non è disciplinato nel primo consenso emesso, il secondo invece al livello di rischio di trasmissione di malattie o di una gravidanza indesiderata. Infatti, le *survivors* di *stealthing* dimostrano come la sensazione di paura di infezioni o gravidanze sia fortemente connessa anche alla sensazione di abuso di un potere che esula da loro. Il fenomeno ha una portata decisamente massiccia, tanto da aver visto la nascita di interi forum dedicati a questo tipo di pratica abusante in cui uomini rivendicano il diritto di praticare lo *stealthing*. Una cosa molto simile, come vedremo, a quel che accade con la condivisione non consensuale di materiale intimo e le chat di Telegram. La pratica dello *stealthing* è riconosciuta e così chiamata nella comunità LGBTQ+, anch'essa colpita dal fenomeno. La legislazione italiana non prevede un articolo dedicato alla punibilità dello *stealthing*; attendiamo con ansia sviluppi in linea con altri Paesi (Gran Bretagna, Svizzera e Germania per esempio) che lo annoverano nella disciplina che regolamenta le pene per chi commette uno stupro.

La forma di violenza di genere a cui pensiamo ogni volta che parliamo del tema è la violenza sessuale. La violenza sessuale, secondo quanto scritto nella Convenzione di Istanbul, è un atto privo di consenso. E il consenso è, ancora e sempre, il punto cruciale del discorso e merita spazio a sé.

Il consenso deve sempre essere esplicitato: se una persona è incapace di farlo – se non è cosciente, se è in stato alterato, sotto minaccia, sotto ricatto, sotto effetto di stupefacenti o svenuta e addormentata – siamo di fronte a una violenza sessuale.

Il consenso è un accordo che va rinnovato nel tempo e può cambiare anche durante lo stesso atto sessuale: se a un certo punto una delle persone non vuole continuare, ci si deve fermare, altrimenti è stupro, quindi finiamola di pensare che una volta che si dice: «Sì» allora è sempre: «Sì».

In alcune pratiche e nel mondo BDSM (Bondage e Disciplina, Dominazione e Sottomissione, Sadismo e Masochismo) il consenso coincide con una *safe word* – o parola di sicurezza – concordata tra le parti: quando questa viene pronunciata, allora ci si ferma, in accordo consensuale. Proseguire nella pratica è violenza sessuale.

Il consenso deve dunque essere rinnovato e se durante l'atto una persona perde conoscenza o subentra uno stato di alterazione è da considerarsi ritirato. Lo afferma anche la Corte di Cassazione (sentenza 15334 del 3/4/2013), che definisce violenza sessuale anche la «condotta di chi prosegua un rapporto sessuale quando il consenso della vittima, originariamente prestato, venga meno a causa di un ripensamento o della non condivisione delle modalità di consumazione del rapporto».

Questo ci fa capire qualcosa in più sulla narrazione che media, cultura e società fanno della violenza sessuale.

Infatti, quando pensiamo per esempio a uno

stupro, ci viene subito in mente una strada buia, un uomo incappucciato e sconosciuto che esce da una siepe e un'aggressione che si compie in un luogo che qualcuno potrebbe definire pericoloso.

Ma alla luce della definizione di consenso, è facile capire che sono tantissime le variabili e varianti di una violenza sessuale. E le statistiche dimostrano come la maggior parte di queste avvenga per mano di persone conosciute.

Questi i dati ISTAT: «Il 31,5% delle 16-70enni (6.788.000) ha subìto nel corso della propria vita una qualche forma di violenza fisica o sessuale: il 20,2% (4.353.000) ha subìto violenza fisica, il 21% (4.520.000) violenza sessuale, il 5,4% (1.157.000) le forme più gravi della violenza sessuale come lo stupro (652.000) e il tentato stupro (746.000).

Ha subito violenze fisiche o sessuali da partner o ex partner il 13,6% delle donne (2.800.000), in particolare il 5,2% (855.000) da partner attuale e il 18,9% (2.44.000) dall'ex partner. La maggior parte delle donne che avevano un partner violento in passato lo hanno lasciato proprio a causa della violenza subita (68,6%). In particolare, per il 41,7% è stata la causa principale per interrompere la relazione, per il 26,8% è stato un elemento importante della decisione.

Il 24,7% delle donne ha subìto almeno una violenza fisica o sessuale da parte di uomini non partner: il 13,2% da estranei e il 13% da persone conosciute. In particolare, il 6,3% da conoscenti, il 3% da amici, il 2,6% da parenti e il 2,5% da colleghi di lavoro.

Le donne subiscono minacce (12,3%), sono spintonate o strattonate (11,5%), sono oggetto di schiaffi, calci, pugni e morsi (7,3%). Altre volte sono colpite con oggetti che possono fare male (6,1%). Meno frequenti le forme più gravi come il tentato strangolamento, l'ustione, il soffocamento e la minaccia o l'uso di armi. Tra le donne che hanno subìto violenze sessuali, le più diffuse sono le molestie fisiche, cioè l'essere toccate o abbracciate o baciate contro la propria volontà (15,6%), i rapporti indesiderati vissuti come violenze (4,7%), gli stupri (3%) e i tentati stupri (3,5%).

Le forme più gravi di violenza sono esercitate da partner, parenti o amici. Gli stupri sono stati commessi nel 62,7% dei casi da partner, nel 3,6% da parenti e nel 9,4% da amici. Anche le violenze fisiche (come gli schiaffi, i calci, i pugni e i morsi) sono per la maggior parte opera dei partner o ex. Gli sconosciuti sono autori soprattutto di molestie sessuali (76,8% fra tutte le violenze commesse da sconosciuti)».[5]

Secondo i dati appena riportati, quelli commessi dai partner sono dunque il 62,7% della totalità degli stupri. Il 3,6% è perpetrato da parenti, il 9,4% da amici.

Questo dato, altissimo, ci fa capire come si sia sempre guardato nella direzione sbagliata per individuare il pericolo di violenza sessuale.

Già, perché l'esempio che ho fatto poco sopra, la strada buia e l'uomo incappucciato, è nient'altro che la favola dell'Uomo Nero che ci raccontavano da bambini, rivisitata dalla *rape culture*. Un uomo sconosciuto, al buio, come casualità ed eccezionalità, per qualcosa che sembra unicamente sfortuna ci prende e ci violenta e brutalizza.

Nessuno poteva prevedere, è un caso isolato, drammaticamente infausto. Questa analisi non solo è superficiale ma anche, dati alla mano, piuttosto rara.

Infatti, in prima istanza ogni violenza di genere è causa di sfortuna: random, in modo assurdamente democratico, ne possiamo essere tutte vittime, proprio per l'universalità della sua natura, che

---

[5] https://www.istat.it/it/violenza-sulle-donne/il-fenomeno/violenza-dentro-e-fuori-la-famiglia/numero-delle-vittime-e-forme-di-violenza

permea chiunque viva in una società di stampo patriarcale dominata dalla cultura dello stupro. Classificare lo stupro come incontrollabile fatalità che avviene al buio (ed è compiuta rigorosamente da sconosciuti) fa in modo che la brutalità che viviamo a porte chiuse venga normalizzata e sembri perciò meno grave. La nostra mente tende a sottovalutare certi episodi di violenza sessuale solo perché domestici, e non li riconosce, creando un sistema per cui anche le stesse vittime non sanno cosa stia effettivamente succedendo loro. Un rapporto obbligato, una sottomissione psicologica e di potere che forza all'atto, una coercizione, un abuso a porte chiuse viene spesso sottovalutato proprio perché, anche culturalmente, si pensa che tutto ciò che succede tra le mura domestiche debba rimanere privato ed essere giustificato in nome di una quiete che spesso è soltanto retaggio della cultura patriarcale.

Tale visione
è strettamente interconnessa
alla responsabilizzazione
della vittima, alla quale – secondo
l'opinione pubblica – spetterebbe
difendersi e non mettersi
in condizioni di pericolo.

Questo proprio perché si vuole ribadire che, siccome la violenza sessuale è imprevedibile ed esce dai cespugli, il genere maschile non può farci niente. Sta dunque alle ipotetiche vittime fare qualsiasi cosa per evitare questa evenienza. Quindi avremo tradizioni familiari femminili, tramandate di generazione in generazione come se fossero ancestrali segreti, che ci suggeriscono come fare per non essere stuprate, per portare a casa la pelle, per essere brave donne, ligie alle regole. Come se questo bastasse per evitare la casualità del male, come se fossimo in salvo.

Ed ecco che entrano in scena le chiavi nel pugno, la lacca in borsa, le scarpe da tennis di ricambio. I jeans aderenti che sono più diffici-li da sfilare, i capelli sciolti – perché secondo qualche strano studio, gli stupratori preferisco-no le code di cavallo – camminare in mezzo alla strada, le finte telefonate al cellulare, urlare: «Al fuoco!» perché tanto se urli: «Aiuto! Mi uccido-no!» nessuno si affaccia alla finestra, fingersi un uomo, camminare senza tacchi per non fare rumore sull'asfalto, tenere uno svita-bulloni nella portiera dell'auto perché non si sa mai: anche quando guidi, se non chiudi le portiere, potrebbe succederti qualcosa.

Abbiamo un vademecum che è come un adde-stramento di guerra, un rituale da ricordare prima di uscire, appena fa buio.

Anche per via di questa prassi consolidata, quando capita di subire violenza sessuale spesso si subisce anche *victim blaming*: dopotutto, le mamme e i papà ce lo hanno insegnato, come si fa per difenderci.

Persino in ospedale, al pronto soccorso, spesso gli sguardi e le parole non sono accoglienti ma giudicanti.

Questo proprio perché ci hanno raccontato che la violenza sessuale e le sue manifestazioni sono casi rari e fortuiti, che possono essere evitati con l'osservanza (da parte dell'universo femminile) di rigide regole, invece che prevenuti sul nascere dall'educazione culturale impartita al genere maschile.

Protect your daughter, dicevano.

Educate your son, rispondiamo noi.

Ma quando il male è dentro casa e alla luce del sole, chi ci protegge se nessuno ci crede?

La violenza domestica spesso racchiude molte, se non tutte, le violenze che ho citato finora e si sviluppa tra le mura di casa, tra partner o conviventi, coniugi, parenti.

Io sono una *survivor* di violenza domestica. E vi racconterò cosa significa vivere in una bolla in cui tutto il resto del mondo non esiste più.

La violenza domestica nasce
in una relazione, tra partner
che possono convivere o meno,
ma anche tra parenti.
È una delle forme più efficaci
quanto devastanti di controllo
che ci siano nei confronti
di una persona, perché gode
della privacy della vita intima
familiare. La radice è sempre
la medesima: si attua una forma
di manipolazione, sottomissione
e controllo sulla vittima
che solitamente culmina
nel suo isolamento.

Violenza psicologica, dipendenza economica, se-
questro, stupro e percosse, minacce, violazione
della privacy e condivisione non consensuale di
materiale intimo sono elementi ricorrenti. Anzi,
spesso convergono tutti insieme.
La violenza domestica può svilupparsi tra persone dello stesso sesso, con relazioni parentali
o affettive differenti. La violenza nelle relazioni di coppia da parte di partner ed ex partner
si chiama "violenza nelle relazioni di intimità",

per specificarne anche la permanenza al di fuori della sfera domestica.

Qui prenderemo in esame la violenza nei confronti della partner, nella sua accezione di violenza del genere maschile verso quello femminile, per capirne le connessioni culturali più profonde.

Le radici del pensiero che sta alla base della violenza domestica e relazionale affondano nella rivendicazione – da parte di chi perpetra la violenza – del possesso della partner in base al proprio ruolo di marito, compagno, fidanzato, amante.

Il controllo è quindi culturale e ripropone gli schemi stereotipati che vedono un genere come padrone dell'altro e una donna di proprietà dell'uomo a lei legato sentimentalmente.

L'andamento catastrofico
è progressivo. Si inizia con
un assoggettamento psicologico,
per poi sfociare in un climax
e infine nella violenza fisica.

Per controllo si intende l'assoggettamento completo, il condizionamento e l'uso dell'altra persona ed è, come spiega Bonura, interconnesso alla frustrazione di un'aspettativa: essere il centro delle attenzioni e del mondo della partner.

Se ci facciamo caso, questo è proprio lo specchio di ciò che culturalmente riceviamo come insegnamento e di cui parlavo nel secondo capitolo, per cui ogni successo della donna – che quindi viene meno alla sua natura stereotipata di angelo del focolare – viene inteso come lesa maestà dall'uomo, che si sente messo in disparte.

Vi sono diversi motivi alla base di un episodio di violenza domestica o che ne alimentano la permanenza nella relazione e – spoiler – l'amore non è mai tra questi.

L'inasprirsi della rabbia e della mania di controllo può dipendere da gelosia, ruolo femminile che – a detta del partner – non viene rispettato, ansia da rifiuto, paranoia di essere vittima di atteggiamenti irrispettosi (anche un vestito ritenuto non consono a "una donna di casa" può considerarsi incluso in questa categoria).

Ricordo che le discussioni e le conseguenti punizioni che ricevevo nella relazione abusante di convivenza con il mio aguzzino erano incentrate tutte sul modo in cui ridevo (a voce troppo alta), sul colore del rossetto e dello smalto («il rosso è da troia»), sui vestiti e i miei capelli (finii per rasarmi tutta la nuca, in modo da rendermi a suo avviso «orribile». Ho ancora un suo messaggio tra gli screenshot in cui mi scriveva quanto facessi schifo con quei capelli e ricordo la confusione che provai nel non capire il perché, visto che era stato proprio lui a volermeli radere).

Le modalità della violenza domestica si perpetrano secondo uno schema preciso, in un'alternanza tra fasi da "luna di miele" ed esplosioni di rabbia, creando così un continuum che fa rimanere ancorata la vittima a una sensazione di possibile miglioramento della situazione e a un diffuso senso di colpa.

Lenore Walker nel 1979 individuò quattro fasi in cui si articola la violenza domestica – sia di tipo sentimentale che parentale – e che si ripetono schematicamente, in un ciclo sempre più stretto di alternanza.

La prima fase è quella dell'**attivazione della tensione** (*Tension building*): la comunicazione decelera rapidamente e si innescano nervosismo e manifestazioni di stizza, in modo sempre più rapido. Un improvviso distaccamento (che io chiamavo "la punizione del silenzio") fa attivare nella partner il senso di colpa e la paura della separazione. La paura di un'esplosione di violenza cieca rende inermi, completamente assoggettati ai voleri dell'altra persona.

La seconda fase è quella dell'**esplosione** (*Incident*), in cui rientra ogni manifestazione verbale, fisica o sessuale di violenza. Il tempo che intercorre tra la prima e la seconda fase può durare settimane ma anche ore.

Le cause scatenanti sono le più varie, sempre riconducibili a manifestazioni di individualità della partner nei confronti dell'uomo.

Mi ricordo di alcune chat con amici che, secondo lui, "non andavano bene", di oggetti da me posizionati "nel posto sbagliato", risposte che non erano abbastanza accomodanti, un tipo di abbigliamento che non era di suo gradimento, lavori che mi portavano fuori da casa per tutta la giornata, come parlare di sessualità fosse un problema. Alla fine si sviluppa una paura annichilente che porta a evitare qualsiasi cosa, anche spostare qualcosa senza prima chiedere il parere al partner.

È in questa fase che spesso si hanno i primi contatti con il pronto soccorso, la polizia e i Centri Anti-Violenza. Ma spesso non è sufficiente, proprio per le capacità persuasive dell'abusante, che si sviluppano nella fase tre.

La terza fase è quella del **pentimento** (*Reconciliation*). Si alternano scuse a pentimento, promesse e prese di coscienza, atti che vengono dichiarati come amore. Sembra che ci sia un'effettiva voglia di cambiare, surrogata da promesse di andare in terapia, di smettere di bere, di allontanarsi da ambienti violenti, di accettare un aiuto e di migliorare le cose.

Le responsabilità del gesto violento vengono attribuite a fattori esterni come il lavoro, la famiglia, lo stress, il momento, il bere, la gelosia.

Questa fase dura più a lungo quando ci si trova agli inizi della relazione: qualche settimana o anche qualche mese.

A mano a mano, l'intervallo di tempo fra una fase e un'altra diminuisce e il ritmo diventa più serrato. Questo innesca una dipendenza ancora maggiore in chi subisce violenza.

A tale fase segue quella cosiddetta "della **luna di miele**", fatta di apparente calma e complicità, che nel tempo dura sempre meno fino, a volte, a sparire del tutto.

Lo schema di Walker ha permesso di stabilire quali sono i meccanismi ripetuti della violenza domestica e di renderli così riconoscibili: è utilissimo, anche ai Centri Anti-Violenza, per tentare di prevenirla.

Individuare un pattern,
uno schema replicato in modo
tanto evidente, fa capire
alle *survivors* che non sono loro
il problema o la causa scatenante
dello specifico episodio di violenza,
ma che piuttosto il problema è
un sistema psicologico e culturale
che diventa universale, proprio
per la sua natura patriarcale,
e che le esula da ogni
responsabilità.

Il senso di colpa, infatti, è il più grande collante di questi rapporti di forza: non è raro che nella prima fase di tensione venga attribuita alla donna la colpa di ingigantire le cose, di essersi sognata tutto. Con il tempo queste frasi mutano e si trasformano in innumerevoli: «Vedi cosa mi fai fare?» e: «Mi ci hai portato tu».

Tutto ciò innesca una co-dipendenza tesa a ristabilire l'equilibrio della "luna di miele". Ma non tutte le relazioni in cui ci sia violenza seguono lo schema di Walker, per questo la prevenzione e il dialogo diventano fondamentali. A volte, infatti, sono presenti solo alcune di queste fasi, altre

volte hanno ritmi differenti. Per uscire dal circuito della violenza è necessario rendersi conto del problema, capirlo, e poi fare divulgazione, parlarne, prevedere ore di formazione
obbligatorie a scuola che potrebbero salvare
centinaia di persone ogni anno. Così facendo,
si priva la violenza domestica del tabù che la
circonda. Infatti, la paura del giudizio altrui e
del conseguente stigma è spesso uno dei meccanismi che ancorano la donna al partner violento impedendole di lasciarlo.

Sono svariate le reazioni psicologiche che una
donna vittima di maltrattamenti sviluppa. Fu
ancora Walker a esporre il concetto di "sindrome
della donna maltrattata" (*battered woman syndro-
me*) che comprende una serie di emozioni che si
sviluppano quando si cerca di sopravvivere a un
abuso. Sono emozioni molto simili a quelle che
si vivono quando si soffre di sindrome da stress
post-traumatico, di cui infatti la sindrome rile-
vata da Walker è un sottotipo.
La paura del giudizio sociale e dello stigma è
tra queste, insieme al terrore e alla sensazione
di isolamento, alla perdita della certezza sulla
realtà dei fatti, alle manifestazioni di panico,
all'insonnia, alla depressione e all'ansia, alla
mancanza di autostima, alla spersonalizzazione.
Sintomi che si protraggono anche anni dopo il
termine della relazione violenta.

Quante chiamate sono arrivate al 1522

da marzo a giugno 2020?

+119% Rispetto a marzo-giugno 2019

Fonte: ISTAT

5.000 chiam.

2.500 chiam.

0

2017   2018   2019   2020

Numeri utili per chiamate fuori target

Richiesta di aiuto vittima di violenza

Informazioni giuridiche

Informazioni sui Centri Anti-Violenza nazionali

Richiesta di aiuto vittima di stalking

Informazioni sul servizio 1522

Segnalazione di un caso di violenza

Durante la pandemia, i casi di violenza domestica sono drammaticamente aumentati (vedi p. 94), a causa della convivenza forzata. La casa, infatti, per molte donne non è un posto sicuro.[6]

Il dialogo, la prevenzione
e un nuovo linguaggio
– che elimini il fattore
romanticismo dalla narrazione
della violenza di genere –
sono essenziali per salvare
centinaia di vite.

E quando dico centinaia, purtroppo non sto usando un'iperbole. Perché la fase finale della violenza di genere corrisponde alla cancellazione totale della donna e della sua vita: il **femminicidio**.
Si usa il termine "femminicidio" per indicare l'uccisione di una donna in quanto tale, per ciò che essa simboleggia nella società. È l'atto di controllo finale esercitato da un uomo nei confronti di una donna, per eliminarla, impedirle per sempre autonomia.
È assurdo, se non ingenuo, pensare che si debba creare il termine "maschicidio": non ci sono

[6] https://www.istat.it/it/archivio/250804 e https://www.istat.it/it/archivio/242841

trend sociologici e paradigmi culturali per cui un uomo viene ucciso in quanto tale, in base a ciò che rappresenta culturalmente.
Per questo la diatriba MRA (*Men's Right Activism*) a riguardo è piuttosto pericolosa: cancellare il termine femminicidio impedisce di riconoscere quella che è, a tutti gli effetti, una vera e propria emergenza, che ha radici culturali e che comporta un numero di vittime tali da aver creato un trend, uno schema ripetibile, con una drammatica escalation.

> Il femminicidio ha lo scopo
> di perpetuare la subordinazione
> di genere e di annientare
> l'identità individuale
> della donna.

Il termine venne usato per la prima volta nel 1990 da Diana Russell che, nel 1992, lo utilizza anche a titolo del suo libro *Femicide: The Politics of Woman Killing*.
L'accezione di femminicidio più completa arriva con Marcela Lagarde che nel 1997 indica, oltre al fattore primario culturale che fa da movente al reato, un concorso di colpa delle istituzioni.
Secondo Lagarde, uno Stato che sottostima, minimizza, non fornisce adeguati mezzi di tutela e leggi efficienti e non accoglie le donne che

scappano da situazioni di violenza si fa connivente: «Nelle ipotesi di femminicidio concorrono, in maniera criminale, il silenzio, l'omissione, la negligenza e la collisione parziale o totale delle autorità incaricate di prevenire e sradicare questo fenomeno. Le condizioni per il Femminicidio si hanno quando lo Stato (o qualche sua istituzione) non dà le sufficienti garanzie alle bambine e alle donne e non crea le condizioni di sicurezza che garantiscono le loro vite, nelle comunità, nelle case e negli ambiti lavorativi. A maggior ragione, quando le autorità non realizzano con efficienza le sue funzioni. Quando lo Stato è una parte strutturale del problema per il suo segno patriarcale e per la preservazione di quest'ordine, il femminicidio è un crimine di Stato».

I dati in Italia sono stati pressoché costanti negli ultimi anni. Una tendenza che non accenna a variare di molto.
Nel 2012 furono 161 le donne uccise.
Nel 2013, 180.
Nel 2014, 153.
Mentre nel 2015 furono 143.
Nel 2016, 149.
Nel 2017 furono 132.
Nel 2018, 141.
Nel 2019 invece furono 111.
Nel 2020, 112.
Nel 2021, dall'inizio dell'anno al momento in

cui sto facendo la revisione di questo testo, le donne uccise sono 38. E aumentano di settimana in settimana.

L'andamento lineare di questi numeri corrisponde dunque a una tendenza culturale, per cui è prevedibile che, ogni anno, un numero indicabile e indicativo di donne perderà la vita in un femminicidio.
Michela Murgia – in un suo brillante articolo (quando mai Michela non è brillante?) per l'Osservatorio sui femminicidi in Italia di «Repubblica» – osserva, riprendendo in parte le osservazioni di Lagarde, come questo andamento sia figlio di una politica di prevenzione e tutela reale completamente assente. Anche le riforme e le aggravanti proposte e predisposte dalla legge italiana sono meri strumenti da attuare quando ormai, per la donna, è troppo tardi.

Agire facendo prevenzione è fondamentale perché, sempre con le parole di Murgia, la morte fisica della donna avviene laddove quella sociale e morale è già avvenuta.

Sono necessarie politiche di welfare, una parità di salario che garantisca l'indipendenza economica, una preparazione delle istituzioni con reali tutele nei confronti delle donne che denunciano maltrattamenti e stalking, programmi culturali che insegnino ai bambini la riforma del sistema di stereotipi di genere e, *last but not least*, una nuova narrazione dei corpi, che depotenzi l'idea della donna come oggetto, come una cosa di cui – quando non è più nostra – possiamo abusare, che possiamo maltrattare, uccidere.

Parallelamente a questa disciplina, mi inserisco con un ragionamento che trovo essenziale e che coinvolge in prima persona i media italiani. La violenza di genere, soprattutto nella sua forma estrema del femminicidio, viene infatti narrata dalla stampa e dalle sue agenzie in modi che non sono solo impropri e pericolosi, ma anche funzionali a una deresponsabilizzazione culturale del fenomeno.
Ci avete mai fatto caso?
A p. 100 vi riporto alcuni esempi, che possiamo analizzare insieme, per capire quanto la romanticizzazione e l'errata informazione possano, alla lunga, creare dei danni enormi nella percezione di una reale emergenza.

Cosa hanno in comune
questi titoli?

Donna uccisa in brianza, l'ex ammette di averle sparato non sopportava la fine della loro relazione

ansa.it

Il gigante buono e quell'amore non corrisposto

ilgiornale.it

La giovane scomparsa a ▮▮▮▮

Pronuncia il nome dell'ex-fidanzato ▮▮▮▮▮▮ strangolata «per gelosia»

corriere.it

▮▮▮▮, uccide la fidanzata dopo una lite: le foto d'amore di ▮▮▮▮ e ▮▮▮▮ su Facebook

ilmessaggero.it

La romanticizzazione del femminicidio. Ogni articolo e ogni titolo ha una componente errata e fuorviante che ormai è ben nota e radicata nel giornalismo italiano, ovvero che l'omicidio della donna sarebbe un delitto passionale.

Quello del delitto passionale è un topos caro alla cronaca nera nostrana, come se l'eccesso di passionalità – nelle sue accezioni di gelosia, rifiuto, tradimento, dolore per la separazione – portasse con naturalezza al compimento di un femminicidio, come se l'amore fosse il motore dell'azione, come se la passione negata e interrotta fosse il movente di uomini distrutti dal troppo sentimento.

Ciò dimostra una totale discrepanza rispetto alla realtà e crea un pericoloso precedente narrativo in termini di romanticizzazione e, quindi, di normalizzazione.

Questa idea del femminicidio non solo richiama (e neanche così blandamente) il delitto d'onore, che veniva compiuto dai compagni di donne ritenute disonorevoli, ma l'atto stesso viene fatto intendere come una conseguenza unica, svincolata da una sovrastruttura culturale, che non ha dunque una pericolosità sociale e che normalizza la conseguenza catastrofica del femminicidio laddove ci sia un amore non corrisposto.

La romanticizzazione passa
dal racconto della vicenda
dal punto di vista del femminicida:
amava, sperava, voleva, era tradito.
Questo implica un punto
di vista narrativo completamente
sbilanciato.

A ciò spesso si sommano una serie di elementi ancora più divisivi, come le interviste a vicini di casa e ai parenti dell'uomo che contribuiscono al racconto decontestualizzato con frasi come: «Era una brava persona / un ottimo lavoratore / un bravo papà / la amava molto».
Mi pare ovvio che nessuna madre descriverebbe mai il figlio che ha appena bruciato il corpo della moglie come una persona violenta e prepotente, così come non possiamo affidare la narrazione a persone che della vicenda non sanno niente, come i vicini di casa: daranno una visione parziale e inutile, che rischia di far passare l'evento per un raptus di follia.
Già, il raptus di follia: altro espediente narrativo usato per giustificare i femminicidi. È un'espressione talmente abusata che spesso viene utilizzata anche per descrivere eventi brutali pianificati nei minimi dettagli, magari protratti per giorni.

Stesso destino per i "giganti buoni": il femminicida di Elisa Pomarelli, Massimo Sebastini, l'ha uccisa e ha nascosto il corpo sul quale poi ha vegliato morbosamente per giorni prima di dare le coordinate ai carabinieri per il ritrovamento. Gigante buono, lo hanno chiamato. Figuriamoci se fosse stato stronzo.

La romanticizzazione di un evento che di romantico non ha niente è pericolosa, perché nasconde e occulta la prepotenza culturale alla base del femminicidio, facendolo passare per un atto da romanzo ottocentesco, gesto d'amore finale, finché morte non ci separi.

E se anche una sola persona, tra quelle che legge i giornali su cui sono riportate queste brutalità completamente avulse dal mondo reale, empatizzerà con il femminicida, la stampa andrà ritenuta responsabile.

La prevenzione passa anche dal linguaggio usato per raccontare gli eventi che si susseguono nel mondo. E questo registro lessicale necessita di un cambiamento.

La stesura di un codice etico da adottare in casi di cronaca che comprendono la violenza di genere è ormai diventata una necessità e deve servire a porre una differente attenzione.

In primis, si deve pronunciare il nome della vittima. #sayhername è infatti un atto politico, perché non venga cancellata la memoria della vittima, perché si inizi a ricordare il nome della donna e non del suo carnefice.

I dettagli sulla vita di coppia (storie parallele, messaggi sul telefono, gelosia, condotta di vita della donna) non devono influire o si finirà per far leva sul fattore culturale che ci spinge ad attuare il *victim blaming*.

La violenza di genere dovrebbe essere il centro della narrazione, il focus della vicenda, la relazione abusante e il sistema che la sorregge e protegge.

E usare espressioni come "gigante buono", "delitto passionale" e "innamorato pazzo" dovrebbe essere vietato da un codice deontologico ben preciso.

È femminicidio. E combatterlo passa anche dalle parole e da come le usiamo.

Di questo siamo tutti responsabili.

I giornali in primis.

Capitolo 4

IL MALE DIGITALE

Condivisione non consensuale di materiale intimo, ovvero il revenge porn

*P*er condivisione non consensuale *di materiale intimo si intende un reato disciplinato dall'articolo 612 ter c.p. (anche noto come* Codice rosso*) che implica la cessione di materiale intimo, fotografico o video a terze parti senza il consenso della persona immortalata nelle immagini o ripresa nei filmati.*

Tale pratica si è diffusa molto repentinamente, vista la facilità di trasmissione via internet di

immagini e video, agevolata dall'uso di piattaforme di messaggistica istantanea e forum.
L'espressione *revenge porn* è utile per individuare il reato in questione, ma la sua etimologia è
imperfetta e può essere addirittura fuorviante:
infatti non si parla di qualcosa da dover vendi-
care (l'azione di condivisione non consensuale è
un atto di forza) e il materiale non nasce come
porno, perché in origine invece era destinato
alla sfera privata: la sua divulgazione manca del
consenso che invece è presente nel porno.
Ad avvalorare la tesi che la vendetta non sia alla
base della pratica di condivisione c'è un sondaggio del 2017 della Cyber Civil Rights Initia-
tive[7] che mostra come il 79% delle persone che
hanno condiviso materiale intimo non lo abbia
fatto per vendetta o rivalsa.
La parola *revenge* richiamerebbe anche una colpa originaria della vittima, rischiando di cadere
in un *victim blaming* di rimando.

La definizione più adatta è perciò
"condivisione non consensuale
di materiale intimo", che si può
abbreviare con NCII
(*Non Consensual Intimate Images*).

[7] https://www.cybercivilrights.org/2017-natl-ncp-research-results/

La peculiarità del fenomeno è la sua trasmissione virale, che si regge su un meccanismo di tam tam tra più persone. La prima e le successive analisi approfondite del fenomeno in Italia sono opera della sociologa Silvia Semenzin. Il suo apporto è fondamentale, basti pensare che la sua collaborazione con I sentinelli di Milano ha permesso la stesura del testo di legge (poi approvato per l'estensione dell'articolo 612 ter) che ha introdotto per la prima volta nel nostro codice penale il reato di NCII.

Facciamo però prima un passo indietro, per ricostruire la cronistoria tutta italiana della condivisione non consensuale di materiale intimo. Il primo caso che invase letteralmente ogni giornale e telegiornale fu quello di Tiziana Cantone, già citata precedentemente in questo libro.

Nel 2015 alcuni suoi video vennero divulgati e fecero prima il giro di amici dell'allora compagno di lei, per poi finire sui social media.

I mesi successivi diventarono un vero e proprio incubo per Cantone: il materiale divenne virale, le piattaforme come Facebook si dimostrarono totalmente incapaci di arginarne la diffusione, le frasi da lei ripetute nei video (ricordiamo, privati) divennero *claim* apposti su magliette, tazze, meme, vignette, persino canzoni e tormentoni.

La vicenda divenne così ingestibile da impedirle di trovare un altro lavoro, costringendola infine a cambiare regione.

Nonostante ciò, la viralità di questa violenza non le lasciò tregua.

Tiziana Cantone si uccise il 13 settembre 2016.

La legge al tempo non solo era totalmente impreparata (i quattro indagati, Antonio ed Enrico Iacuzio, Christian Rollo e Antonio Villano, vennero accusati di diffamazione e violazione della privacy) ma anche piuttosto incapace nel capire a fondo la portata di eventi di questo tipo: infatti a Cantone venne negato il diritto all'oblio.

Come si legge su Wikipedia: «Il 13 luglio 2015 Cantone presentò al giudice civile di Aversa la richiesta di rimozione dal web dei video e di tutti i contenuti a lei collegati. Il magistrato, tuttavia, dopo avere accertato la viralità dei filmati presenti sul web, rifiutò la richiesta, ritenendone inutile la rimozione dato che erano stati visualizzati centinaia di migliaia di volte e nel frattempo erano state sicuramente realizzate copie dei video che sarebbero rimaste in circolazione. L'unica azione legale attuabile, già messa in atto dalla procura tempo prima, fu l'oscuramento dai motori di ricerca di video, immagini e commenti collegati a Cantone. La procura decise di accogliere una parte della richiesta della donna, soltanto nei confronti dei siti Facebook, Twitter, Yahoo, Google e YouTube, in virtù della loro funzione di social network, ai quali venne imposta l'immediata rimozione di ogni post o pubblicazione con commenti e apprezzamenti riferiti alla donna. A sua volta la donna fu condannata a rimborsare le spese legali ai cinque siti citati per un totale di circa 20.000 euro».

Nessun giornale dell'epoca decise di prendere posizione: le stesse testate che avevano parlato dei suoi video, diffondendo curiosità morbose (nonché facendo circolare il suo nome su scala nazionale) dopo le sentenze di questo indecoroso processo non si esposero.

Il caso Cantone fu il primo a destare così tanta attenzione su un tema delicato come quello della condivisione non consensuale. Ci si rese conto per la prima volta (ed era solo il 2016, non il 1998) che un click aveva la capacità di distruggere la vita di una persona.

Servivano interventi legislativi e culturali per frenare un fenomeno di questo tipo. Ma il suicidio di Tiziana Cantone non fu evidentemente sufficiente per smuovere la macchina parlamentare. Ci furono alcuni casi di *hacking* provenienti da oltreoceano: vennero infatti violati i *cloud* di alcune star di Hollywood (da Emily Ratajkowski a Jennifer Lawrence, passando per Miley Cyrus e Rihanna).

Il fenomeno è stato rinominato *fappening*, una crasi di *happening* e *fapping*, gergale per "masturbazione".

Facebook decise di porre rimedio alla condivisione violenta fornendo un sistema di *hashing* (ovvero una sorta di impronta digitale che riconosce, monitora e rimuove il contenuto indicato come NCII): sulla piattaforma diventa dunque eliminabile la trasmissione a catena di ogni tipo di materiale di NCII, seppur spesso con tempi ancora troppo dilatati.

Ma per arrivare alla discussione di una proposta di legge in Italia abbiamo dovuto attendere un ennesimo caso di diffusione virale e mediatica: quello ai danni della parlamentare Giulia Sarti nel 2019, quando il suo *cloud* divenne di domi-

nio pubblico, riversandosi su siti, social network e piattaforme di messaggistica.
Le sue immagini divulgate diventarono subito un caso nazionale e la discussione parlamentare si fece attiva.

Qui si è innescato il lavoro di Silvia Semenzin. Parallelamente all'attenzione da parte del Parlamento, volta a trovare una soluzione al *revenge porn*, l'attivista e ricercatrice ha portato avanti un proprio studio. Partendo da alcuni suoi conoscenti che praticavano questo tipo di condivisioni, in chat di gruppo dai titoli rincuoranti come *Donne tutte puttane* (in seguito adottato da Semenzin come titolo del libro scritto a quattro mani con la collega Lucia Bainotti), Semenzin ha svolto una delle più importanti analisi del fenomeno che siano giunte a noi.
Infiltratasi in cinquanta chat di Telegram (che contavano l'attività quotidiana di almeno 53.000 persone ciascuna) ha analizzato la struttura e la forma mentis sottostante a questi comportamenti.
Innanzitutto, ha potuto constatare la mascolinità performativa alla base delle chat di queste *communities* virtuali, i cui contenuti – va precisato – erano visualizzabili anche dalle vittime stesse, coinvolte inconsapevolmente con le loro foto rese pubbliche ai membri del gruppo.

Il collante malsano che invita
a pubblicare immagini senza
il consenso della persona ritratta,
ad augurare stupro e incitare
al femminicidio, a divulgare
numeri di telefono e indirizzi
(social e fisici) nonché a diffondere
materiale pedopornografico
(le chat sono un ricettacolo di foto
e video di minori) è proprio
la conseguenza del concetto
di virilità e dell'idea di possesso
dei corpi femminili.

La performatività con cui si deve dimostrare
di essere maschi alfa viene esasperata in una
costante iper-sessualità che sfocia in una terminologia violenta condivisa da tutti i partecipanti.
Semenzin li chiama "stupri digitali" e credo
non serva specificare il perché.
I contenuti di queste chat possono essere i più
svariati: come abbiamo accennato prima, la
condivisione di informazioni personali come
numero di telefono, indirizzi social e abitativi
e informazioni sul posto di lavoro servono per
bersagliare la vittima. Questo fenomeno viene
chiamato *doxing*.

I numeri di
NOVEMBRE 2020

L'osservatorio permanente di
PermessoNegato *ha rilevato a novembre:*

Gruppi/Canali: *sono stati rilevati 89 gruppi/canali attivi nella condivisione di NCP destinati a un pubblico italiano*

Utenti non unici: *i gruppi sottoposti a esame hanno rilevato un numero di utenti registrati non unici pari a 6.013.688 account*

Gruppo più numeroso: *il gruppo più numeroso preso in esame annovera un numero di 997.236 utenti unici*

Utenti unici: *una analisi a campione sui gruppi più numerosi ha portato a stimare la sovrapposizione degli utenti tra i gruppi a circa il 60%*

Esistono forum e chat in cui vengono scambiati materiali di telecamere di sicurezza, camerini, foto *upskirt* (scattate inquadrando sotto la gonna) e anche video prodotti da app che appongono il volto di una persona sul corpo di attori e attrici porno (*deepfake porn*). Nella stragrande maggioranza dei casi, in queste chat avviene uno scambio di materiale pornografico ricontestualizzato con fotografie assolutamente non intime che vengono acquisite dai social di ragazze, soprattutto minorenni.

Il fenomeno ci fa capire come nella cultura sessista patriarcale non si percepisca la differenza tra pornografia e violenza, quindi tra consenso e abuso.

Per comprendere la portata del fenomeno, nel novembre del 2020 l'associazione Permesso Negato ha pubblicato sul suo sito un interessante report[8] che vi riporto a p. 113

I 6.013.688 di iscritti ai gruppi di condivisione non consensuale sono molto più che un caso isolato o, come spesso sentiamo dire, mostri con problemi psichiatrici o sessuali.

Sei milioni di persone sono un trend culturale.

---

[8] Dal loro sito: https://www.permessonegato.it/doc/PermessoNegato_StateofRevenge_202011.pdf

Qualcosa di più simile alla normalità che all'eccezione. Una deriva comportamentale comune e prevista, prevedibile, dunque anche evitabile. Questo proprio perché il movente è culturale e quindi chiunque può arrivare a pensare che determinate modalità siano normali, proprio perché sono normalizzate socialmente. Per l'appunto, la risposta più comune – tra chi frequenta tali canali – alla domanda: «Perché lo hai fatto?» è: «Ma era solo goliardia, un gioco». E qui torniamo prepotentemente al significato e significante del corpo femminile nella società patriarcale: un oggetto passivo di cui poter usufruire a proprio piacimento per quelli che vengono intesi come "giochi" da chi non ha assolutamente compreso il significato della parola consenso. Se la cultura imperante ti fa pensare che tutto ciò sia normale, allora crederai di poterlo fare anche a discapito degli altri. Il fenomeno è complesso e strutturato e le piattaforme sono incapaci di gestire un numero così elevato di utenti e illeciti.

Spesso mi chiedono cosa si possa fare per arginare questo movimento e per segnalare i gruppi e le chat. È un discorso serio sul quale pongo molta attenzione.

Se siete vittime di condivisione
non consensuale di materiale
intimo potete rivolgervi alla polizia
postale e sporgere denuncia;
appoggiarvi ad associazioni
come Permesso Negato;
fare una segnalazione
alla piattaforma su cui viene
diffuso il materiale; segnalare
direttamente al Garante
della privacy dal sito;
compilare una denuncia online
(che prevede una firma entro
due giorni presso il Commissariato
più vicino) sul sito
denunceviaweb.poliziadistato.it.

La cosa da evitare è diffondere i nomi dei gruppi, poiché rendere pubbliche le coordinate di un gruppo non solo espone a un nuovo e più ampio pubblico le vittime il cui materiale è stato condiviso non consensualmente, ma rischia di far allarmare gli admin che chiuderanno il canale riaprendolo sotto altro nome, e vanificando così il lavoro della polizia postale e di chi scandaglia queste chat.

Non entrate mai nei gruppi. Sono quasi sempre sorvegliati e verreste inseriti tra gli indagati. Non entrate nei gruppi anche perché spesso il materiale si scarica in automatico sui vostri dispositivi e vi ricordo che in caso di foto e video di minori si parla di pedopornografia.

Non aprite nessun video o foto che proviene da questi canali o che vi viene inviato nelle chat da amici: non è mai stato dato il consenso per farlo.

Interrompete la catena: segnalate le chat – anche Whatsapp – i video e le foto alle piattaforme, segnalate anche gli amici che divulgano questo materiale.

Parlate con le persone che vi sono vicine, perché la soluzione è creare una controcultura che si basi proprio sul consenso e la partecipazione maschile nella lotta a questi illeciti.

La condivisione non consensuale di materiale intimo è un fenomeno che vede come vittime nel 90% dei casi soggetti di sesso femminile ma il fenomeno è anche diffuso sempre più nella comunità LGBTQ+.

In Italia è stato analizzato su piccola scala sempre da Semenzin, che ha raccolto duecentocinquanta questionari nei quali la maggior parte delle persone si identificava come donna, il 25% come uomo e il 10% come persone con identità di genere non binaria.

Art. 612-ter c.p.

(Diffusione di immagini o video sessualmente espliciti)

Salvo che il fatto costituisca più grave reato, chiunque, dopo averli realizzati o sottratti, invia, consegna, cede, pubblica o diffonde immagini o video a contenuto sessualmente esplicito, destinati a rimanere privati, senza il consenso delle persone rappresentate, è punito con la reclusione da 1 a 6 anni e la multa da 5.000 a 15.000 euro.

La stessa pena si applica a chi, avendo ricevuto o comunque acquisito le immagini o i video di cui al primo comma li invia, consegna, cede, pubblica o diffonde senza il consenso delle persone rappresentate al fine di recare loro nocumento.

La pena è aumentata se i fatti sono commessi dal coniuge, anche separato o divorziato, o da persona che è o è stata legata da una relazione affettiva alla persona offesa ovvero se i fatti sono commessi attraverso strumenti informatici o telematici.

La pena è aumentata da un terzo alla metà se i fatti sono commessi in danno di persona in condizione di inferiorità fisica o psichica o in danno di una donna in stato di gravidanza.

Il delitto è punito a querela della persona offesa. Il termine per la proposizione della querela è di 6 mesi. La remissione della querela può essere soltanto processuale. Si procede tuttavia d'ufficio nei casi in cui al quarto comma, nonché quando il fatto è connesso con altro delitto per il quale si deve procedere d'ufficio.

Del totale delle persone partecipanti, il 7% è stata vittima di condivisione non consensuale; il 50% ha ricevuto materiale non richiesto ritraente terze persone.

Il fenomeno è dunque in espansione e va monitorato anche fuori dall'ottica binaria ed eteronormata (ricordiamo che la cultura patriarcale tocca tutte le persone, non solo gli uomini bianchi ed etero).

In sintesi, è fondamentale fare cultura e interrompere la catena, perché una legge da sola non può servire da prevenzione e non può essere abbastanza.

La legge è arrivata in un momento in cui non potevamo più fingere che non ci fosse un enorme vuoto legislativo da colmare, e prevede sanzioni severe che molte delle persone che compiono il reato di *revenge porn* non conoscono.

Vi riporto il testo nel box di p. 118: analizziamolo insieme.

La pena per chi diffonde il materiale va da uno a sei anni con multa tra cinque e quindicimila euro, o anche di più nel caso vi siano aggravanti. La cosa fondamentale di questa legge è che prevede la stessa identica pena per tutte le persone facenti parte della catena e che ricondividono il materiale: la responsabilità è la medesima del primo attore e, quindi, egualmente sanzionata. Se tra la vittima e il colpevole vi è – o vi è stata – una relazione di natura affettiva, la pena aumenta. Così come aumenta di un terzo se il reato è compiuto verso persone incapaci di intendere e di volere o con disabilità, oppure nei confronti di donne incinte.

Il tempo per presentare la querela è di sei mesi dalla diffusione.

Nel caso in cui la persona vittima di NCII sia minorenne, si applicano le leggi sulla pedopornografia.

Molte persone che affollano le chat in cui avviene lo scambio non consensuale non sanno che stanno commettendo un reato e non hanno idea delle pesanti sanzioni a esso correlate.

Una corretta informazione giuridica e una sensibilizzazione sul tema, sia nelle scuole sia nelle famiglie e sia sui media, potrebbero agevolare e disincentivare il fenomeno.

Invece succede spesso che, soprattutto in certi ambienti come scuole e nuclei familiari, si colpevolizzi la vittima con frasi come: «Basterebbe non farsi certe foto e vedi come non ti condivide nessuno» (ho sentito commenti di simile tenore fatti da dirigenti scolastici, professori e professoresse nelle assemblee in cui tengo lezione).

Chi ricopre un ruolo educativo non dovrebbe giudicare (facendo di fatto del *victim blaming*) atteggiamenti che, se non obbligati da ricatti e minacce, sono espressione di una sessualità sana e figlia del digitale.

Additare la responsabilità del reato di *revenge porn* a chi lo subisce significa punire l'espressione della propria sessualità e questo non può e non deve essere il ruolo educativo di una società libera.

Si deve invece mirare a prevenire il reato, condannando queste azioni in modo severo e facendo leva sul concetto di consenso, che rimane dunque ancora il tema principale da cui partire per una corretta educazione sessuale paritaria.

Anche il ruolo dei media è centrale: ci sono spesso narrazioni imprecise, che danno voce a controparti che invece non dovrebbero neanche essere interpellate.

In primis, fornire dettagli sul luogo di provenienza del video rischia di aumentarne la richiesta fino a farlo diventare ancora più virale.

Anche le piattaforme di porno mainstream talvolta presentano, in classifica, i video nominati dalla cronaca: è l'indice di quanta morbosità ci sia in generale sull'argomento.

In un caso di qualche mese fa, venne intervistata una delle persone coinvolte nella catena di condivisione. Ciò è deontologicamente inaccettabile, perché non solo si può far passare il concetto di goliardia che, secondo qualcuno, sarebbe alla base di questo reato, ma aumenta anche il *victim blaming* nei confronti di chi lo subisce.

La responsabilità della narrazione è di nuovo centrale.

Perché, come stiamo per vedere nel prossimo capitolo, le parole che da sempre usiamo per parlare di sesso e violenza sono tutte sbagliate.

Capitolo 5

IL LINGUAGGIO SESSISTA

*Termini che usiamo con leggerezza,
stupro rieducativo e lessico belligerante*

---

*D*a sempre il linguaggio
*che abbiniamo alla sfera sessuale
ci fa comprendere come
la stereotipizzazione passi anche
e soprattutto dalla terminologia
bellica.*

Abbordaggio, preda, conquistare, bombare, schiacciare, fare mia/o sono solo alcuni di questi termini che sono un ibrido tra quelli utilizzati durante una battuta di caccia al cinghiale e nel bel mezzo dello sbarco in Normandia, e che da sempre usiamo per codificare quello che è il pittoresco ballo della seduzione in ottica eteronormata.

La nascita di questo lessico è da vedere in ottica, appunto, prettamente eteronormata perché in perfetta linea con gli stereotipi di genere che vogliono il maschio performativo, aggressivo e incline all'iper-sessualità, la donna passiva, preda e pronta a essere conquistata dalla virilità. Anche adottare la violenza come indicatore di potere è centrale nella vita di relazione: ogni gesto irruento e impulsivo viene valutato come una dimostrazione di amore virile.

La donna dovrebbe essere grata al maschio della sua forza; lui che dovrebbe proteggerla e metterla al sicuro in ogni momento della vita (perfino quando dorme: sapevate che secondo il galateo l'uomo dovrebbe dormire dal lato del letto più vicino alla porta della camera così, in caso di intrusione di estranei, sarebbe subito pronto a difendere la donna? Insomma, maschi: neanche dormendo potete stare rilassati, il *machismo* vi osserva).

Il linguaggio non differisce da questo schema: si basa su livelli di gerarchia in cui qualcuno domina qualcun altro, in cui ci sono prede e cacciatori, in cui si invade una proprietà.

Pertanto il sessismo passa anche e soprattutto dalle parole.

E queste ci permettono di riconoscere gli schemi patriarcali che differiscono per le donne e per gli uomini, in una escalation piuttosto inquietante.

Facciamo alcuni esempi e procediamo con ordine. Alla base del linguaggio sessista che individua il genere femminile come subordinato e oggettificato, ci sono gli *slur*. Uno *slur*, come scrivevo su «The Italian Review» poco tempo fa, è «una parola che nel corso del tempo acquisisce un significato ghettizzante e che si riferisce a un preciso target e a una determinata categoria marginalizzata. Avremo dunque *slur* omofobi, razzisti, transfobici, abilisti e, in questo caso, sessisti. Si distinguono dai normali insulti proprio per il loro indirizzo collettivo» (theitalian-review.com).

Il potere di ogni *slur* è quello di veicolare un'emozione negativa tesa a ristabilire dinamiche di potere ogni qualvolta venga pronunciata. Lo *slur* sessista per eccellenza è la parola troia.

Pensate che esistono, secondo il linguista tedesco Edgar Radtke, almeno 645 sinonimi del termine troia.

Ciò avviene perché a questa parola è stato dato un valore morale, lo stesso che è indiscutibilmente connesso al corpo femminile e alla sua sessualità.

Il linguaggio sessista si propaga anche attraverso le allusioni e i commenti estetici costanti a cui vengono sottoposti i corpi femminili: per screditare una donna basta un'osservazione sulla sua fisicità e il lavoro passerà in secondo piano. Pensiamo ad Angela Merkel e a tutto ciò che è stato detto sulla sua figura. Oppure a Rosy Bindi. Alla regina Elisabetta. A Botteri presa di mira per l'aspetto fisico e l'abbigliamento. Insomma, il corpo femminile è costantemente soggetto a commenti non richiesti e ad aspettative di bellezza proprio per screditare la qualifica di una persona e rivendicare la piacevolezza che l'occhio maschile richiede.

Questo sistema lessicale è funzionale al ricordare che le figure femminili non sono adatte a svolgere certi mestieri e ricoprire determinate cariche, e che non possono alzare la testa in certe situazioni. Se vuoi parlare, quantomeno sii bella e piacevole.

I commenti sul luogo di lavoro sono spesso collegati al fisico, che distrarrebbe dallo svolgi-

mento della professione o che dovrebbe essere
più avvenente, ma non sono gli unici mezzi les-
sicali che il sistema patriarcale usa per ristabilire un ordine gerarchico ben preciso che apre
la strada alla violenza, che sia mobbing, che sia
fisica, psicologica o economica.

Se entrate in un ospedale e vedete due persone con il camice, un uomo e una donna, chi
chiamerete pensando sia il medico e chi invece,
secondo voi, ricopre il ruolo di infermiere?
Esatto.
La figura maschile è ancora abbinata alle cariche "di comando", perciò un grande classico sul
luogo di lavoro sarà chiamare la donna "signorina".
Che sia avvocata, dottoressa, scienziata, dirigente, la parola più usata e sentita da ogni donna mentre lavora è signorina.
Unitamente a ciò, vi è anche l'uso spropositato
del nome proprio e mai del cognome.
Avete presente la pagina Instagram che si chiama
@ladonnaacaso?
Il collettivo raccoglie una serie di articoli di
giornale in cui professioniste di tutto il mondo
vengono chiamate per nome nei titoli di giornale.
A p. 128 vi lascio qualche esempio preso proprio
dalla suddetta pagina che, per inciso, è una delle mie preferite.

█████████ nomina la prima donna CEO, ma le taglia lo stipendio rispetto al suo predecessore

repubblica.it

Emanuela: «Ho 48 anni, tre bambini e voglio andare nello spazio»
Astronauti, la carica delle donne

«Corriere della Sera»

Giulia va in America e diventa sergente

corrieredelveneto.corriere.it

Kamala la donna più odiata sui social, il caso apre un ...

ilmessaggero.it

Ecco, la confidenza con cui ci si riferisce anche a donne di potere immenso (Harris è la vicepresidentessa degli Stati Uniti, non mia zia) fa capire che non si possa esigere autorità e rispetto se si è donne al comando, bensì colloquialità e stupore, come se fosse un caso fortuito quello di avere una donna alla guida, un caso raro che non succederà più.

Il chiamare per nome depotenzia completamente la carica politica, sociale e lavorativa di una donna e la relega alla sfera della casalinga che passava di lì per caso. Perché non solo in ottica sessista fare la casalinga sarebbe un mestiere squalificante, ma essere donna al di fuori di una casa è affare assai raro.

Infatti non è strano, oltre al nome proprio, che la seconda qualifica con cui viene indicata una donna sui giornali sia quella di madre (e subito dopo ci si affretti nel contare a che numero di figli siamo e se ce ne siano altri pronti in cantiere). Questo cliché viene portato avanti anche dalla pubblicità.

Come?

Semplicissimo: rimarcando fino alla fine sia la sessualizzazione del corpo femminile sia il suo ruolo di donna di casa.

Il linguaggio pubblicitario procede per associazioni e rafforza quindi stereotipi e classificazioni reali finalizzate al marketing.

Un esempio di rafforzamento dello stereotipo che vuole la donna relegata alla casa è rappresentato dall'emblematico cartellone di un noto brand di bigiotteria, che recita a caratteri cubitali: «Un ferro da stiro, un pigiama, un grembiule, un bracciale ****. Secondo te cosa la farebbe felice?».

Un brutto capitolo lessicale che spiana letteralmente la strada a quelli che sono il *catcalling* e le molestie verbali, oltre alla concezione che la donna sia un oggetto, riguarda poi il linguaggio pubblicitario che sessualizza la donna e il suo corpo come se fosse un oggetto, fino a normalizzare la violenza.

Un esempio in questo senso lo troviamo nel *claim* pubblicitario di un liquore italiano. La pubblicità mostra il primo piano di una donna, spalle scoperte a indicarne la nudità e un rompighiaccio in mano, la scritta recita: «Fatti il capo».

Sempre restando nel tema dell'oggettivazione e sessualizzazione dei corpi a scopi pubblicitari, un'agenzia di pulizie mette in cartellone una ragazza avvenente vestita da cameriera sexy, con uno slogan che recita: «Ve la diamo gratis» e solo

più sotto aggiunge: «per un mese. La pulizia o la sanificazione». Meglio specificare.
Simile il tenore di un'altra pubblicità, stavolta di un'automobile: «Se me la dai te la pago subito e in contanti». Peccato che l'autovettura sia sullo sfondo, mentre in primo piano c'è una ragazza di profilo in una posa che rimanda a una posizione sessuale.

Ancora motori: uno scooter elettrico è pubblicizzato da una donna con sedere in bella mostra e il pacatissimo slogan: «Vienimi dietro – sono elettrica».

Concluderei l'excursus citando la campagna fotografica di un noto brand della moda italiana, che utilizza la figura femminile come oggetto del desiderio da parte di un gruppetto di uomini. Qui, la donna è stesa a terra, tenuta ferma da uno di loro mentre gli altri osservano la scena.

Questo tipo di associazione per immagini e frasi a doppio senso, in cui la donna diventa letteralmente merce e a essa viene paragonata, si insinuano nel linguaggio e nel pensiero comune. È anche così che finiamo per pensare che le immagini femminili che vediamo sul web siano di nostra proprietà.

Il linguaggio sessista appare in una frase ben precisa sulla quale Michela Murgia ha scritto un intero libro: questa frase è: «Stai zitta» da cui il titolo omonimo del saggio.

La frase, come analizza Murgia, viene sovente usata in situazioni sia pubbliche che private per mettere a tacere una donna, ed è poco frequente – se non impossibile – che avvenga il contrario, ovvero che una donna la usi nei confronti di un uomo, specialmente in situazioni istituzionali o pubbliche – come i dibattiti televisivi o politici e nei confronti sociali. Ciò avviene, come dice l'autrice, quando una donna contraddice un uomo ponendosi subito nella infausta posizione di maestrina.

Maestrina, professoressa, rompipalle, pesante: sono tutti vocaboli che sono stati usati per indicare le donne ingombranti, con le idee chiare, che fanno rumore e che vogliono occupare tutti quegli spazi che da sempre le estromettono ed escludono sistematicamente.

Per mettere a tacere una rompipalle, dirle di stare zitta è da sempre un'arma micidiale in situazioni pubbliche e in cui magari ci sono poche donne che parlano. E le donne che parlano, come dice la scrittrice nigeriana Chimamanda Ngozi Adichie, sono ritenute arroganti. Gli uomini, invece, sicuri di sé.

Questo squilibrio lessicale e le varie forme di linguaggio volte a ristabilire dinamiche di potere in modo brutale (vi hanno mai dato della troia, per offendervi, o si sono mai rivolti a voi usando qualche altro *slur* sessista? Ecco, sapete bene quanto sia immobilizzante quando accade: estromette dalla conversazione o fa andare su tutte le furie, per poi finire a ricevere del *tone policing*) da un lato arrivano dalla cultura maschilista pluricentenaria che ci trasciniamo appresso, dall'altro sono indice di un cambiamento cui stiamo innegabilmente andando incontro e che porta ad avere un sempre maggior numero di donne in posizioni di rilievo e potere, con più voce e autorevolezza.

Usare un lessico sessista e violento o svalutante impedisce di essere prese troppo sul serio e di ottenere quella credibilità che un uomo avrebbe a parità di posizione. Ma cosa succede quando una donna fa comunque di testa propria e prosegue nel suo operato, sovvertendo il famoso e dannato senso comune?

La storia ci ha portato a nuove frontiere della violenza lessicale, introducendo la terminologia che si riferisce allo stupro come rieducativa nei confronti di coloro che trasgrediscono e invalidano il loro ruolo di brava donna sottomessa.

Procediamo per gradi.

Fin dalla nascita della civiltà, in tempi di guerra lo stupro era un modo con cui gli eserciti vincitori umiliavano i vinti.

Era uno strumento per affermare il proprio potere e rimarcare la sudditanza di interi popoli, nella maniera più eclatante e vile che ci fosse, ovvero "rovinando" le donne di una comunità.

Ancora oggi, lo stupro di guerra è praticato e comune. Questo meccanismo aveva, e ha, il fine di rieducare le donne facendo capire chi è al comando.

Per la donna che si allontana dalla ragione e dal selciato dei vincenti, la punizione è il gesto che maggiormente ne annienta la figura, ovvero la violenza sessuale.

Tale paradigma – che chiameremo "stupro rieducativo" – si può ampiamente riscontrare nel linguaggio. Negli ultimi anni, complici i social media e internet, gran parte delle donne che sono diventate famose per imprese politiche o di cronaca, sono state punite da folle di profili Facebook e Instagram che inneggiavano al loro stupro.

Vi riporto alcuni esempi tra i più rinomati.

Laura Boldrini, nel 2017, a seguito di una sua politica tesa all'inclusività e accoglienza delle persone migranti, ricevette un post dedicato su Facebook da parte dell'ex sindaco di Pontinvrea. Il primo cittadino le augurava uno stupro di gruppo, ribattezzandolo «un po' di divertimento» da parte di persone immigrate.

Questo per redimerla, per farle capire che se simpatizza per una politica di accoglienza lo scotto da pagare è proprio quello: la violenza sessuale.

Il sindaco, condannato poi a una multa di ventimila euro, ricevette grande sostegno da parte di esponenti politici (ovviamente #tuttimaschi) che rincararono la dose, in una bruttissima pagina della nostra politica recente.

Un caso simile, ma di proporzioni persino più grandi – oserei dire giganti – fu quello che vide protagonista Carola Rackete, "colpevole" di aver disobbedito alle leggi portuali imposte dall'allora ministro dell'Interno Salvini e decidendo di portare la nave Sea Watch nel porto di Lampedusa, forzandone la chiusura.

A bordo vi erano quarantadue migranti che si trovavano in mare sull'imbarcazione della ONG tedesca ormai da giorni e che erano stati rifiutati dal porto di Marsiglia.

Appena scesa a terra, la capitana Rackete venne arrestata in flagranza di reato e le persone a bordo della Sea Watch vennero fatte scendere e salvate dopo giorni in mare aperto.

Su Facebook, sotto i post dei giornali che riportavano la notizia si sono scatenati commenti inenarrabili.

Gente che le augurava lo stupro, che le sosteneva avesse un gran bisogno di una ripassata violenta da parte di persone immigrate, che le diceva che se lo sarebbe proprio meritato. E che allora sì che non avrebbe più riso (la capitana, ammanettata, mentre scendeva dalla Sea Watch, accennò un sorriso. E lo avrebbe fatto chiunque, sapendo di aver appena salvato quarantadue persone in mare da settimane).

Il tenore dei commenti era il seguente.

«Sei una ricca merda e sarai violentata
dai tuoi ne*** ma vedrai che ti piacerà avere
figli bastardi.»

Al che qualcuno risponde.

«No violentata se le (l'è, ndr) fatti
volontariamente uno a uno in questi giorni…
un ne*** al giorno se (s'è, ndr) fatta sta troia…
devono affondarla sta cagna.»

E di seguito…

«Impalamento (con tubo d'acciaio che le entra dalla figa e le esca dalla bocca) in pubblica piazza.»

Quindi lo stupro prende, per la donna che ha deciso di sua spontanea volontà, il posto del giudizio di un Tribunale.
Prende il posto della redenzione e della pena equa.
Prende il posto della comprensione dei Diritti fondamentali dell'uomo, che erano appunto alla base del suo gesto, che io definisco, senza ombra di dubbio, necessario quanto eroico.

Il linguaggio della violenza
normalizza dunque l'azione
più brutale che si possa compiere
sul corpo di una donna prima
della sua cancellazione tramite
femminicidio e la rende una frase
da social. Un intercalare normale
da usare in situazioni similari.
E credetemi, sotto quei post
i commenti di questo tipo
erano centinaia.

Settimane più tardi, sentita in Tribunale, Rackete divenne nuovamente mirino del linguaggio
sessista violento poiché si presentò senza reg-
giseno sotto la maglietta. Gesto che fu visto,
dall'Italia *machista*, come un ennesimo, irrepa-
rabile affronto che necessitava di una seconda,
plateale e collettiva punizione rieducativa.
Quindi ci fu un secondo round di augurio di
stupro.

Il terzo caso, che ha connotati ancor più inquietanti poiché la persona presa di mira è una giovane donna minorenne, vede protagonista Greta Thunberg.
L'attivista che si occupa di clima e di responsabilizzare i colossi aziendali, nonché i Paesi più
potenti del mondo, ha fatto storcere il naso a
molti con la sua competenza e la sua determinazione (ricordate Donald Trump che la scherniva
dai suoi social? Già, proprio Trump, quello che
non credeva all'emergenza climatica e al Green
New Deal) e anche a multinazionali che, come
si sa, non sono proprio etiche dal punto di vista
dell'impatto ambientale.
Nello specifico, all'inizio del 2020 un'azien-
da petrolifera, presumibilmente incattivita
dalla propaganda ambientalista visto l'impatto ambientale che la raffinazione del petrolio
comporta, ha fatto stampare una serie di adesi-
vi da apporre sui caschi dei propri dipendenti.

Gli sticker raffiguravano Thunberg di spalle in una posizione sessuale e le sue iconiche trecce che venivano tirate dalle mani di un uomo, che rimane fuori campo. Il corpo nudo, il suo nome scritto sull'adesivo.

L'edizione canadese dell'«Huffington Post» riesce, dopo iniziali rifiuti e telefoni sbattuti in faccia, a intervistare il dirigente aziendale, chiedendogli se non si vergognasse di aver raffigurato la scena di uno stupro ai danni di una ragazzina minorenne.

Per tutta risposta l'uomo replica, letteralmente: «Non è una bambina, ha diciassette anni».

La punizione per Greta Thunberg sarebbe riconducibile al suo "sapere troppo", all'essere informata e determinata, al credere in una battaglia che chiede il conto a chi ha abusato per decenni del nostro pianeta senza alcuno scrupolo, per denaro.

Questo incitamento allo stupro può essere considerato una goliardata?

Noi sappiamo che il suo vero significato è quello rieducativo, attraverso la violenza, il sessismo, la brutalità.

La dichiarazione a riguardo di Thunberg fu lapidaria e potentissima. Disse infatti: «Stanno diventando sempre più disperati. Questo dimostra che stiamo vincendo».

Social a parte, anche
il linguaggio quotidiano
ha fatto propria la parola stupro,
normalizzandola e inserendola
nei contesti più comuni,
come le chiacchiere tra amiche
e amici sui vestiti.

Chiunque abbia avuto a che fare con una persona che, a un certo momento, abbia detto: «Cavolo, se ti vesti così sei davvero anti-stupro» come se l'atto dello stuprare avesse qualche aspetto positivo, come se fosse un traguardo da raggiungere per determinare la decenza e sensualità di un outfit, sa di cosa parlo.

Anche il famigerato commento, che molti spacciano per complimento – «Ti stuprerei» – è un esempio di normalizzazione di una fenomenologia brutale volta al controllo del corpo femminile.

Una riformulazione della parità di genere che parta anche dall'analisi del linguaggio e dalla comprensione delle dinamiche a esso associate, nonché delle sue radici e di come esse si propaghino nello spazio e nel tempo, è essenziale per scrivere un nuovo vocabolario, che non abbia più bisogno di termini che servono soltanto per ristabilire dinamiche di potere ormai desuete, violente e inaccettabili.

Seguendo ciò che disse Greta Thunberg, se usano ancora queste espressioni così massicciamente e con tanta brutalità, vuol dire solo una cosa: ci stiamo prendendo la parità che ci spetta, in modo sempre più rapido e con crescente determinazione.

Capitolo 6

COME FARE PER USCIRNE

Educazione al consenso, fare cultura e dinamiche nuove per una società inclusiva e sicura

---

*L*a fuoriuscita dal circuito
della violenza è sempre possibile.
Sempre. E lo ribadisco affinché
diventi un reminder.
Il percorso di uscita potrà essere
immediato, o in altri casi
più macchinoso ma è comunque
possibile.

A volte si crede che l'allontanamento e le fasi successive di recupero psicofisico dagli abusi siano quasi impossibili, che nessuno vorrà credere ai nostri racconti. Si ha paura di lasciare la "vita che conosciamo" per ricominciare da capo, altre volte ancora si ha paura dei giudizi altrui e di non essere comprese, oppure che la nostra cultura non venga rispettata.

Inoltre, quando si è vittime di violenza di genere spesso non si sa da dove iniziare. Anche solo realizzare di essere state abusate e parlarne rappresentano un primo passo verso la liberazione dall'abuso e dal trauma che vi si può accompagnare.

Alla fine di questo saggio inserirò un elenco molto importante, che è quello dei CAV, ovvero dei Centri Anti-Violenza che si possono trovare sul territorio italiano (vedi p. 174).
I Centri Anti-Violenza sono dei *safe space*, dei luoghi in cui vengono accolte le donne che

hanno subito violenza o che sono minacciate in tal senso, e all'interno dei quali si offre consulenza e sostegno pro bono, sia legale sia psicologico, oltre che assistenza telefonica. Alcune strutture hanno a disposizione dei posti sicuri e nascosti chiamati case rifugio, in cui le donne (spesso con i figli minori) possono trovare accoglienza, scappando così da situazioni di abuso domestico.
Altre propongono percorsi di inserimento e orientamento al lavoro che permettano alle donne di rendersi indipendenti economicamente.
Il primo contatto spesso avviene per telefono e molti di questi centri rispondono ventiquattro ore su ventiquattro.

È garantito l'anonimato.

Ciascuna donna può valutare se iniziare un percorso di fuoriuscita dalla violenza avvalendosi degli strumenti essenziali che questi centri offrono.
I CAV nascono come risposta alla mancanza di strutture che proteggano, accolgano e tutelino le donne che subiscono discriminazione nonché violenza sistemica.
Sono disposti su tutto il territorio nazionale e si avvalgono di figure di mediatrici culturali che possano agevolare ogni donna, qualsiasi sia la sua cultura di provenienza o appartenenza.

145

Il bisogno di creare luoghi
indipendenti e sicuri, svicolati
da un sistema e gestiti da sole
donne nasce proprio in risposta
alla cultura patriarcale
che espone queste ultime
alla violenza maschile.

È infatti assai raro che una donna si senta, dopo
aver subito violenza, al sicuro nell'essere toccata
o seguita da professionisti uomini.
Per questa ragione, le figure che gravitano
intorno ai CAV, da chi offre assistenza telefonica a chi dà sostegno attraverso reti indipendenti
e associative, sono femminili.
Il principio su cui si basano i CAV è quello della
libera scelta, secondo il principio di autodeterminazione: nessuna viene costretta a denunciare o a sottoporsi a visite e colloqui, se non lo
vuole. Il percorso lo sceglie in primis la *survivor*,
valutando ciò che crede meglio per sé.

Oltre ai CAV, esistono altre realtà che offrono
supporto e sostegno immediati, anche in situazioni in cui la donna non può allontanarsi dalla
persona violenta.
Il numero anti-violenza e anti-stalking (1522) è
il più famoso servizio pubblico promosso dal

Consiglio dei ministri tramite il dipartimento delle Pari Opportunità. Si tratta di un numero gratuito attivo ventiquattro ore su ventiquattro, sette giorni su sette, nato nel 2006.
Le operatrici, professionalmente formate per gestire ogni tipo di emergenza, rispondono a richieste di aiuto in caso di:
• molestie
• stalking
• violenza fisica
• violenza psicologica
• violenza economica
• violenza domestica o avvenuta in luogo pubblico.

Offrono sostegno psicologico e giuridico, forniscono informazioni pratiche e consigli.
Inoltre possono, su richiesta, mettere la vittima in contatto con le forze dell'ordine e con un CAV stesso.
Come per i CAV, vige il principio di autodeterminazione: nessuna persona è obbligata a denunciare o attivare le forze dell'ordine o altri percorsi se non vuole farlo.
Il numero 1522 ha anche sviluppato un sistema di assistenza via chat dal sito ufficiale (1522.eu) e via app (per IOS e Android).
Sia il centralino che la app sono disponibili in più lingue (italiano, inglese, francese, spagnolo e arabo).

Raccogliendo in modo anonimo i dati sulle chiamate che riceve, è anche un ottimo osservatorio sull'andamento della violenza di genere, anno dopo anno.

In caso di violenza fisica e/o sessuale, ci si può sempre rivolgere al 112 e al 118: sono numeri ovviamente sempre attivi e raggiungibili anche senza campo, tramite le chiamate di emergenza. I pronto soccorso sono aperti e gratuiti tutto il giorno, tutti i giorni, così come sono sempre attive le forze dell'ordine.

All'arrivo in pronto soccorso viene assegnato un colore, come il triage impone, e poi si passa all'acquisizione da parte del medico di dati personali, inclusa l'anamnesi (che serve per conoscere la storia clinica di ognuna). Successivamente si risponde a domande dettagliate sulla dinamica di aggressione e all'eventuale acquisizione di foto, tamponi e capi di abbigliamento.

Sebbene possa sembrare invadente, questo è un procedimento fondamentale e chi viene visitato lo può interrompere in ogni momento o rifiutarsi di proseguire o di sottoporsi a esami: il consenso deve essere fornito prima di ogni procedura.

Il referto sarà fondamentale nel caso in cui si voglia sporgere denuncia.

Ricordo che la scelta di denunciare è strettamente personale. In situazioni complesse, l'aiuto di una consulenza di un CAV o del 1522 può essere determinante. Queste che abbiamo appena visto sono realtà che lavorano in sinergia con lo Stato e le istituzioni.

Per combattere la violenza e incentivare le donne alla denuncia dobbiamo, e possiamo, migliorare tutto l'apparato statale, culturale, educativo e sociale che abbiamo intorno.

Per questo occorre lavorare su più fronti, che richiedono necessariamente il coinvolgimento dello Stato.

In tutte le manifestazioni della violenza infatti, come abbiamo visto, il ruolo di chi soccorre e di chi accoglie a livello istituzionale è decisivo.

Forze dell'ordine e pronto soccorso devono essere formati da personale qualificato nell'accogliere le *survivors* che vi si rivolgono.

Analisi e visite mediche con linguaggio appropriato, non giudicante o abusante, richiesta di consenso prima di toccare la paziente e creazione di un *safe space* sono prioritari.

Idem per chi accoglie la denuncia: spesso le donne non procedono perché vengono sottoposte a domande morbose, talvolta viene messa in dubbio la loro testimonianza e, in alcuni casi, l'episodio viene screditato definendolo un "eccesso di gelosia".

Quando ciò avviene, io consiglio sempre di cambiare questura o di passare attraverso un CAV: nessuna storia può essere invalidata e nessuno può rifiutarvi quello che è un vostro diritto.

Il motto (che prende il nome dall'associazione) «*Hermana yo te creo*» è più che una frase: credere alle donne che denunciano violenza è un dovere sociale.

Perché rendere la società accogliente – distruggendo *victim blaming* e *slut shaming* – significa condannare apertamente la violenza e incentivare centinaia di migliaia di donne alla denuncia.

La società civile dovrebbe essere in grado di accogliere chi viene schiacciato dal sistema.

La sentenza verrà poi decisa dal Tribunale che ha il compito di giudicare. Ma il compito della società civile, invece, dovrebbe essere quello di rendere fluida e facile, nonché il più sicura possibile, la strada di chi denuncia.

Perché in questo libro lo abbiamo visto, i numeri sono chiari: solo una piccola percentuale delle vittime sporge denuncia, e i numeri delle false dichiarazioni (poi smontate proprio in sede processuale, da parte di periti altamente qualificati) sono molto bassi.

La tutela delle vittime parte
proprio dalla società, che deve
accoglierle e non farle sentire
in colpa, avvicinarle al processo
e non disincentivarle.
Tale passaggio è fondamentale
per costruire una struttura sociale
sicura fino a quando
non giungeremo a una effettiva
parità tra i sessi.

Il punto è proprio questo: creare una cultura nuova, priva di stereotipi di genere che, da sempre, impongono regole e creano sottomissioni, liberare dalle sovrastrutture tossiche che regolano la società in ogni sua più piccola trama.
E lo si può fare solamente con una nuova educazione, basata sul consenso, sulla partecipazione attiva dello Stato e su una responsabilizzazione maggiore dei contenuti culturali.
Eccolo di nuovo, il consenso. Il consenso è la base di tutto ed è proprio il tipo di corso che

151

manca nei piani dell'offerta formativa di quasi ogni scuola d'Italia.
Già nelle scuole materne dovremmo insegnare a rispettare il volere e il confine del corpo altrui. Ricordo il video di un medico americano che, prima di toccare il corpo di un bambino per visitarlo, gli chiede il permesso. Questo gesto fa capire immediatamente il valore della fisicità e del dialogo, già in tenera età.

Anche inserire alle scuole medie e superiori dei corsi di educazione sessuale gestiti da professionisti è fondamentale.

Al momento ci limitiamo a qualche ora imbarazzante, tenuta spesso dal personale scolastico che non solo non è preparato, ma non è neanche adatto a svolgere un lavoro delicato come questo.
La sinergia di scuola e associazioni sul territorio, con la creazione condivisa di calendari, o l'istituzione di obblighi direttamente dal ministero dell'Istruzione sarebbe dunque rivoluzionaria.
Insieme a queste lezioni di approfondimento, il cui scopo è normalizzare la sessualità sana, consensuale e positiva, ci vorrebbero corsi di educazione civica, ma reale. Non fittizia, come

le ore di Diritto che vengono fatte sovente in modo sterile e passivo, imparando a memoria leggi senza capirle.

Sempre a livello di scuole materne, elementari e medie, andrebbero anche rivisti quelli che costituiscono, insieme al corpo docenti, il fondamento dell'educazione stessa, ovvero i libri di testo.

Per capirci, prendiamo come esempio alcuni esercizi da sussidiari e libri di testo di elementari e medie: il primo è il classico test con crocette a risposta multipla. L'esercizio chiede di cancellare il verbo che NON è adatto al soggetto di riferimento.

Sotto, il primo di una lista di nomi tra cui cavallo, sole, acqua, è «La mamma». Alla mamma sono associate tre diverse opzioni di verbi:

1. Cucina
2. Stira
3. Tramonta.

Se è ovvio che la mamma non può tramontare, è facile intuire quali siano le due azioni immediatamente associate (e associabili) alla figura materna.

In un altro libro di esercizi, si pone in essere una situazione in cui una certa Angelica «litiga spesso col marito». L'esercizio consiste nel barrare la risposta più idonea.

Le prime due opzioni sono:
1. «Passare più tempo in cucina»
2. «Vestirsi più sexy».

Ecco invece un esempio di analisi e comprensione del testo dove si legge: «(Mamma) va in posta di corsa, di corsa al mercato, saltella in palestra, lavora in ufficio e poi va all'incontro con la mia maestra. Insieme alle amiche si beve del tè».
Tra le opzioni figurano:
1. «Fa tante cose, ma non sta con suo figlio»
2. «Trova il tempo per sé e per gli altri»
3. «Riesce a fare tante cose perché non lavora».

Altro esempio tratto da un eserciziario: viene chiesto di abbinare una serie di frasi numerate ad altre che rappresentano la loro naturale conclusione. Il periodo numero tre recita: «Lucia è troppo grassa». La freccetta che conduce all'unica risposta possibile tra quelle elencate è la B: «per indossare una minigonna».

Un simile test conduce a una diversa (seppur simile) conclusione.
«Rossella è così bella da sembrare un angelo, mentre sua sorella è talmente brutta che nessun ragazzo la degna di uno sguardo.»

I testi didattici, specialmente quelli per la prima infanzia, sono cruciali e hanno una responsabilità enorme. Spesso la narrazione corrente del mondo e della storia è quella bianca ed eurocentrica. Il perpetrarsi di stereotipi di genere così semplificano, agli occhi dei bambini e delle bambine, la realtà in modo parziale, erroneo quanto superficiale.

Il ruolo dello stereotipo patriarcale è proprio quello di settorializzare e dividere i generi attribuendo dei ruoli fissi *gender based*; è così che si creano fin da subito quei presupposti che rendono le donne angeli del focolare e gli uomini il centro del potere decisionale.

Rinforzare questi bias nei bambini fa sì che crescano con in mente un impianto che, senza mezzi termini, è sessista. E non solo.

Come abbiamo visto analizzando alcuni esercizi da sussidiario, dalla prima infanzia si iniziano a sviluppare rigidi stereotipi sull'autodeterminazione dei corpi, in modo tale da escludere quelli che vengono da sempre ritenuti non validi (come i corpi grassi o i corpi con disabilità).

La radicalizzazione del principio della bellezza come valore assoluto diventa un'ennesima gabbia. Naomi Wolf nel suo *Il mito della bellezza*, pubblicato nel 1991 e oggi introvabile nella versione italiana, affronta proprio questo tema.

Il corpo femminile, secondo lo stereotipo imperante, deve essere giovane, bello (nell'ottica dei canoni imposti), magro, elegante e conforme.

La pressante richiesta, inculcata
fin dall'infanzia, di corpi femminili
perfetti crea alienazione;
lo sforzo per allinearsi con questi
stereotipi genera nelle donne
una crescente angoscia
nei confronti del proprio corpo,
diventando così un ennesimo
strumento di oppressione nonché
un'arma vera e propria
per escluderle dalla vita sociale
e politica.

Alcuni casi noti di licenziamento perché le
impiegate non erano "avvenenti" sono solo la
punta dell'iceberg. Perpetrare questi schemi
sessisti inculcandoli nelle menti dei bambini,
che assimilano in modo rapido, rende impossibile arginare il meccanismo di disparità.

Servono testi scritti con una nuova visione, con-
temporanea e libera da pregiudizi basati sull'appartenenza di genere, che escano dal soffocante
binarismo, che siano determinati a eliminare le
differenze tra individui e che non siano portato-
ri di ideali e racconti razzisti e sessisti.
Altrimenti il rischio è che l'istruzione, imparti-

ta attraverso testi del genere, rafforzi la già precaria situazione che possiamo trovare in tanti nuclei familiari all'interno dei quali i lavori di casa sono appannaggio femminile e le bambine sono le uniche chiamate ad aiutare la mamma nel completare le faccende di casa o l'accudimento dei più piccoli.
La controcultura nasce da un *environment* aperto e inclusivo, anche e soprattutto nelle scuole.

Mi pare dunque necessaria una particolare attenzione a questi temi da parte del ministero dell'Istruzione che, insieme a quello delle Pari Opportunità, dovrebbe elaborare un piano strutturato che copra l'intera durata della scuola dell'obbligo.
Non possiamo agire solamente quando la violenza si manifesta (in ogni sua forma: da omolesbobitransfobica a razzista, abilista e classista): equivale a giocare in difesa. E, ovviamente, a calcolare e reputare accettabili delle perdite.

La vera rivoluzione contro la violenza è la cultura.

Fare cultura in un modo nuovo, che parta proprio dalla responsabilizzazione scolastica.
Che preveda l'inserimento di nuove figure nell'organico: da educatrici ed educatori specifi-

ci, a *counselor* preparati ad accogliere le richieste e le sofferenze dei minori e a saper riconoscere ambienti abusanti.

Considerare un sistema scolastico statico come unica risposta alle esigenze educative di una società proiettata nel futuro alla velocità della luce è ingenuo quanto pericoloso.

Non possiamo usare metodi, libri e strutture dell'organico che andavano bene negli anni Settanta.

Fare cultura deve passare in primis da riforme coraggiose, dall'accettazione dei limiti della società e dalla messa in discussione dei metodi educativi, familiari e statali che da sempre invece propiniamo ai giovani. Non sono le nuove generazioni a essere malate, marce, ingestibili: sono i nostri metodi educativi che non sono abbastanza inclusivi e adatti a saper comprendere, leggere e accogliere la contemporaneità.

Iniziare a pensare alla possibilità di unire le forze tra CAV, ministeri, scuole e istituzioni potrebbe essere un'arma vincente.

Le formatrici e i formatori delle numerose associazioni sul territorio sono una risorsa importante che può davvero dar vita a quella che è, in definitiva, la vera arma di prevenzione alla violenza, ovvero la cultura.

Parallelamente, come ho già ricordato in questo libro che cerca di racchiudere in sé un po' di nozioni, storie, definizioni e informazioni sulla violenza di genere nei confronti delle donne, serve una sapiente e costante resistenza.

Resistere è l'unico modo che abbiamo per affrontare quella parte della società che non cambierà facilmente, proprio perché ormai troppo adulta e con una visione patriarcale radicalizzata.

Per interrompere la catena bisogna iniziare soprattutto dai micro-nuclei: siano essi familiari o amicali. Ed è centrale sottolineare la tossicità dei comportamenti altrui. Informarsi, divulgare, mettersi in contatto con realtà diverse apre, dove possibile, la mente.

Le generazioni dai *millennials* in poi (anche se noi *millennials*, dopo il G8 di Genova, abbiamo subito un brutale colpo alla vitalità nella pratica della resistenza e della militanza) sono fornite di innumerevoli strumenti per contemplare e acquisire informazioni e contatti, in modo da formare e divulgare una narrazione libera e indipendente da stereotipi e preconcetti di un mondo che non è più adatto alla contemporaneità.

Stiamo iniziando a creare un linguaggio nuovo, un linguaggio emotivo diverso e libero.

Vedo determinazione e preparazione nelle nuove generazioni e questo è un primo, grandissimo passo verso la cultura fondata sulla parità.

«*Vorrei stare sempre così*
Avere cose pratiche in testa
I soldi per mangiare, i dischi,
i videogiochi e basta.»

FBYC (sfortuna), *I Cani*

Capitolo 7

LA MALEDETTA SFORTUNA

Ricordo chiaramente la sensazione che si prova nel raccontare alle persone intorno a te la violenza subita

---

L'*espressione, il tono della voce, le risposte quasi giudicanti della stragrande maggioranza della gente che dovrebbe esserti vicina.*

Il silenzio assordante di molti altri.
Le pacche sulle spalle.
Ma soprattutto la grande quantità di persone che non ti credono.
Perché nessuno crede alle *survivors*.

Perché da sempre ci dicono che queste cose succedono ai margini della società o per colpa di mostri rarissimi e molto pericolosi, da cui non è possibile scappare.

Scappare.
Mi ricordo che quelli che chiamavo fratelli sono stati i primi a scappare.
So anche i nomi di chi mi ha spalato fango addosso dandomi della matta e poi, per pornografia del dolore – la malattia del Ventunesimo secolo – sono tornati a domandarmi chi fosse il mio *abuser*, a cadere dal pero, a far finta di non aver mai saputo niente e voler sapere tutto.
Ho visto persone che sono state in grado di rimanere amiche del mio *abuser* nonostante sapessero ogni cosa: io questa la chiamo connivenza.
Ho visto persone chiedere ad altre *survivors* di raccontare la propria storia nel dettaglio solo per la morbosità di vedere le lacrime e sentir parlare del sangue.
Ho visto programmi tv in cui una ragazza diciottenne doveva andare a difendersi perché nessuno le credeva e ho sentito il presentatore chiederle: «Cosa si prova dopo essere state stuprate? Che sensazione fisica è?».

Ho visto la società totalmente
impreparata ad accogliere noi
che fuggiamo da qualcosa che
la società stessa ha creato,
supportato e normalizzato.

Conosco esattamente la sensazione di isolamento e confusione che si sviluppa nella testa di una *survivor* dopo una violenza.
Le domande che dall'esterno si fanno sempre più intrusive e perfino tu finisci per chiederti se non sia stata esagerata la tua reazione, se magari lo hai portato tu a fare quel che ti ha fatto.
Già, perché in una cultura che colpevolizza le vittime non è così strano che, alla fine, anche la stessa vittima finisca per fare lo stesso.
Anche io ho, in tempi non sospetti e più di una volta, pensato in modo classista e molto, molto abilista.

Ho pensato che alle donne come me non capita.
Che ero troppo forte e sveglia per farmi fare ciò che il mio *abuser* ha fatto a me per tutto quel tempo.
Non c'era cattiveria nel mio ragionamento, solo una banalità disarmante, la normale evoluzione dei ragionamenti che i media e la società ti portano a sviluppare intorno alla violenza di genere: che la subiscono solo alcuni ceti socia-

li, minoranze culturali ed etniche, persone con tossicodipendenza o dipendenza affettiva, senza lavoro. Insomma, quelli che i media vogliono farci sembrare degli *outcast*. Che da sempre vengono esclusi dalla società.

Perché, così facendo, sottolineando che succede solo in certi ambiti o situazioni, ci laviamo la coscienza e non ci assumiamo alcuna responsabilità: omertà, ecco la più grande amica della cultura dello stupro.

Ho pensato dunque, quando sono finita in una relazione tossica, che fosse un caso eccezionale, che fosse colpa mia, che avessi attirato io la follia di un uomo-mostro, che fosse un suo problema relazionale e psicologico.
Insomma, che fosse solo sfortuna.

Quando ho iniziato a parlare con altre *survivors* ho subito capito che questa bugia, l'esserselo meritato, l'aver attratto qualcuno e qualcosa di quel tipo, non era affatto mia responsabilità.
La mia storia, quella di Carlotta, chiusa in casa dal suo *abuser* e per un anno massacrata

fisicamente, economicamente e psicologica-
mente, era ed è uguale a quella di milioni di
altre donne.
Banalmente e tristemente: la mia storia è quella
di tutte.
E questo perché non siamo casi isolati, unicorni
rari, casi clinici.
Piuttosto perché un fattore culturale, che abbiamo ampiamente analizzato in questo testo,
rende tutti potenziali *abusers* e tutte le donne
potenziali vittime.
Lo so, fa paura, fa strano e a molti uomini questa frase fa storcere il naso.
Eppure è la più candida e disarmante delle verità.
Se subisci violenza è perché un sistema sorregge questa struttura patriarcale e quindi non
è una rarità, non è solo sfortuna: è *maledetta*
sfortuna.
L'etimologia è fondamentale: maledetta perché
reiterata, comune, contagiosa, normale, che
si annida ovunque, in modo trasversale e che
possiede, come in un brutto film horror, tutta
quanta la nostra società.
La sola sfortuna non basta, infatti. Rileghereb-
be gli episodi di violenza a una mera casualità.
Qui invece siamo davanti a un fenomeno male-
detto perché radicato, storico, culturale, antro-
pologico, a cui siamo incollati, incastrati e da
cui siamo soggiogati da sempre.
Il caso e la premeditazione culturale conver-

gono: sembra un ossimoro, eppure è l'essenza stessa della *rape culture*.

Già, perché in un sistema che cresce gli uomini e le donne con modalità e intenti così diversi, forgiando una cultura basata sulla virilità e sulla violenza, la roulette russa è inevitabile.

Ricordo ancora le parole di una formatrice, Raffaella, del Centro Anti-Violenza SOS Donna di Faenza: la violenza di genere è tristemente democratica. Colpisce ogni donna in qualsiasi contesto e senza tenere conto di provenienza, ceto sociale, personalità e anamnesi familiari di sorta.

Quando ti confronti con altre *survivors*, la prima cosa che ti sconvolge facendoti, in un modo piuttosto bizzarro, sentire compresa e al sicuro, è che ogni storia ha lo stesso pattern. La stessa evoluzione. Molto spesso gli *abusers* usano anche le stesse terminologie e metodologie di punizione simili.

E sovente si accaniscono contro gli stessi elementi che caratterizzano proprio la "femminilità" della donna.

La mia storia era quella di tutte, la mia storia di maledetta sfortuna è quella di altre che ancora non lo sanno, la mia storia di maledetta sfortuna non è diversa da quelle che hanno ricevuto solo violenza psicologica, così come non è diversa da quella delle donne uccise dai partner nei femminicidi.

La cosa più difficile da capire è
proprio questa: che siamo tutte
costantemente esposte.
E che gli uomini sono tutti,
costantemente esposti
a una cultura che fa della violenza
sugli altri il maggior indicatore
di potere.

La notte tra il 29 e il 30 maggio 2016 i Carabinieri vennero a casa, dove vivevo con il mio *abuser*, dopo un ennesimo episodio di percosse. Quella notte io sono scappata, chiamando mia madre alle quattro del mattino, dicendole che ero con i Carabinieri sotto la pioggia, in strada, e che lui mi picchiava, umiliava, obbligava a fare cose che non volevo fare, mi chiudeva a chiave in casa e mi controllava ossessivamente da tempo. Che mi brutalizzava in modi che ancora oggi non so dire a voce alta.

Mia madre, quella notte, mi fece capire che era il caso a decidere per la nostra sorte. Che tutti possono essere *abusers* e di conseguenza tutte possono diventare vittime. Che i mostri non esistono: esistono i figli sani di una società violenta. Che i numeri del fenomeno sono così alti che coinvolgono tutte le persone.

Mia madre, al telefono, quella notte mi disse piangendo che stavolta non era toccata a me ma che poche ore prima, a Roma, Sara di Pietrantonio veniva uccisa e poi bruciata nella sua auto dall'ex fidanzato.

La maledetta sfortuna è quindi quel coefficiente di casualità che spetta alle donne in una società patriarcale che si fonda sulla cultura dello stupro. Può succedere perché spesso non viene condannato.

Può succedere perché tutti noi impariamo dallo stesso linguaggio.
Può succedere perché è normalizzato, cioè è normale che sia così.
E se succede, la colpa viene data a chi sopravvive.

Realizzare che ci si trova dentro un perverso gioco al massacro, determinato e dominato appunto dalla maledetta sfortuna, è il primo passo per comprendere la portata di un vero e proprio movimento culturale che si fonda sulla prepotenza, sulla brutalità e sul possesso.
Eppure è difficile farlo capire.

«*Not all men*» dicono.
«Grazie al cazzo» dico io.

La risposta più gettonata, usata da questa società e da chi si sente dire che la violenza di genere è un problema maschile è, infatti, un grande classico ovvero: «Eh, ma non tutti gli uomini sono così».
Gianclaudio, lo so, so che ti senti offeso, ma *capisci a me*: dire che non tutti gli uomini stuprano è la più mastodontica banalità che si possa sentire. Non vi daremo una coccarda perché non avete violentato o picchiato le donne: è il minimo per esseri umani decenti.

In più, dicendomi che non tutti gli uomini sono dei violenti non solo ti lavi le mani ma non vuoi proprio capire la sottile differenza: non tutti gli uomini sono degli stupratori, non tutti gli uomini sono nelle chat di Telegram, non tutti fanno *catcalling* o molestano le sconosciute.

Ma potenzialmente, per il sistema culturale e di stereotipi in cui cresciamo, qualunque uomo potrebbe finirci.

Non tutti, certo, ma la matrice patriarcale lo insegna a tutti. Nessuno escluso.

E alcuni studenti sono purtroppo più diligenti di altri nell'imparare la lezione.

Quindi rimboccati le maniche, perché la violenza di genere è un problema maschile e dal genere maschile deve partire la spinta a interrompere la catena di cui pure tu, Gianclaudio, sei in gran parte succube.

Non tutti gli uomini sono dei violenti verso le donne, ma quelli che lo sono, lo sai perché lo diventano?

Già.

Per maledetta sfortuna.

E nel 2021 non possiamo più lasciare le vite umane al caso e al calcolo delle probabilità.

Conclusione

Il titolo di questo saggio ha un'origine bizzarra. Almeno, lo è diventata poi quando ci ho fatto caso e ho unito i puntini.

Ho sempre chiamato "maledetta sfortuna" l'elemento che ci espone tutte, senza alcuna distinzione di sorta, alla violenza sistemica contro le donne.

Ma non è un nome scelto a caso.

Ci sono arrivata con il tempo.

Ho vissuto per mesi in una casa che non aveva le chiavi nelle toppe delle porte, neanche in bagno, in modo che io non potessi avere mai privacy e non potessi scappare.

Ogni elemento decorativo aveva un suo posto, ogni cosa la sua posizione e spostarle poteva implicare l'inizio di un episodio di violenza.

Le parole, quelle dovevano essere soppesate sempre.

E il cibo, il cibo non lo sceglievo mai io, doveva farlo lui per me.

Ricordo che quando lui usciva e io rimanevo dentro casa, spesso chiusa dall'esterno, mi sedevo sul divano, composta, guardando il vuoto, e mettevo su I Cani e, in loop, ascoltavo sempre la stessa canzone.

Per calmarmi, per farmi tornare in contatto con me stessa, con il mio corpo che ormai non dormiva e pesava come uno sputo dalla paura e con la concentrazione ai minimi storici.

E allora ripetevo, ripetevo a voce alta, come un mantra, come una preghiera: «Vorrei stare sempre così, avere cose pratiche in testa, i soldi per mangiare, i dischi, i videogiochi e basta».

E come in un rituale, arrivava la calma.

La concentrazione, che mi ha resa sempre più consapevole, tornava nella mia testa.

Recuperavo le cose pratiche da fare, stabilivo con lucidità i prossimi passi.

E quando poi, quella sera, dopo un ennesimo episodio violento sono arrivati i Carabinieri, io ancora sussurravo.

Ero calma, in piedi, sulla porta e continuavo a ripetere, come in una liturgia, le parole che più mi avevano fatto compagnia negli ultimi interminabili mesi.

«Vorrei stare sempre così, avere cose pratiche in

testa, i soldi per mangiare, i dischi, i videogio-
chi e basta.»
Sono state proprio queste le mie prime parole
da donna libera.
Stare sempre così.
Senza tutta questa maledetta sfortuna.

CAV – I Centri Anti-Violenza in Italia

Nome Centro	Città	Provincia	Regione
A.N.G.E.LI. Antiviolenza	Lentini	Siracusa	Sicilia
A.U.R.O.R.A.	Napoli	Napoli	Campania
Aiuto Donna uscire dalla violenza	Bergamo	Bergamo	Lombardia
Al tuo fianco	Roccalumera	Messina	Sicilia
Alice e il Bianconiglio	Avellino	Avellino	Campania
Associazione Amica Donna	Chianciano terme	Siena	Toscana
Associazione Attivamente coinvolte Onlus	Tropea	Vibo Valentia	Calabria
Associazione Centro donne contro la violenza - Aosta	Aosta	Aosta	Valle d'Aosta
Associazione Donne contro la violenza Onlus - Crema	Crema	Cremona	Lombardia
Associazione Liberaluna ONLUS	Campobasso	Campobasso	Molise
Associazione MIA. Movimento Incontro Ascolto	Casalmaggiore	Cremona	Lombardia
Belluno Donna	Belluno	Belluno	Veneto
C.A.DO.M. - Monza	Monza	Monza-Brianza	Lombardia
CAV Macerata SOS DONNA	Macerata	Macerata	Marche
Casa Rifugio Zefiro	Ancona	Ancona	Marche
Casa della donna Pisa	Pisa	Pisa	Toscana
Casa delle Donne Bressanone / Frauenhausdienst	Bressanone	Bolzano	Trentino-Alto Adige
Casa delle Donne Lucha y Siesta	Roma	Roma	Lazio
Casa delle donne / Frauenhaus	Bolzano	Bolzano	Trentino-Alto Adige
Casa delle donne Brescia	Brescia	Brescia	Lombardia
Casa delle donne Reggio Emilia	Reggio emilia	Reggio Emilia	Emilia-Romagna
Casa delle donne Treviglio	Treviglio	Bergamo	Lombardia
Casa delle donne contro la violenza Onlus - Modena	Modena	Modena	Emilia-Romagna

Nome Centro	Città	Provincia	Regione
Casa delle donne maltrattate - Milano	Milano	Milano	Lombardia
Casa delle donne per non subire violenza - Bologna	Bologna	Bologna	Emilia-Romagna
Casa di Awa	Padova	Padova	Veneto
Cedav	Messina	Messina	Sicilia
Centro AntiViolenza Donne Insieme Valdelsa	Colle di Val d'Elsa	Siena	Toscana
Centro Antiviolenza PdZ Ao2 Comune Capofila Mercogliano	Mercogliano	Avellino	Campania
Centro Donna - Forlì e Cesena	Forlì	Forlì-Cesena	Emilia-Romagna
Centro Donna Lilith	Latina	Latina	Lazio
Centro Donne Mantova. Centro antiviolenza	Cerese di borgo virgilio	Mantova	Lombardia
Centro Essere Donna	Terracina	Latina	Lazio
Centro Petra	Verona	Verona	Veneto
Centro S.V.S.	Torino	Torino	Piemonte
Centro Servizi Donna	Novara	Novara	Piemonte
Centro Veneto Progetti donna	Padova	Padova	Veneto
Centro Vivere Donna Onlus	Carpi	Modena	Emilia-Romagna
Centro antiviolenza - Ascoli Piceno	San Benedetto del Tronto	Ascoli Piceno	Marche
Centro antiviolenza - Ortona	Ortona	Chieti	Abruzzo
Centro antiviolenza - Parma	Parma	Parma	Emilia-Romagna
Centro antiviolenza - Trento	Trento	Trento	Trentino-Alto Adige
Centro antiviolenza ADID Borgetto	Borgetto	Palermo	Sicilia
Centro antiviolenza ADID Partinico	Partinico	Palermo	Sicilia
Centro antiviolenza Ananke	Pescara	Pescara	Abruzzo
Centro antiviolenza Catia Doriana Bellini	Perugia (Ponte Pattoli)	Perugia	Umbria
Centro antiviolenza Città di Torino	Torino	Torino	Piemonte
Centro antiviolenza Donna - Agrigento	Agrigento	Agrigento	Sicilia

Nome Centro	Città	Provincia	Regione
Centro antiviolenza Frida Kahlo	San Miniato	Pisa	Toscana
Centro antiviolenza La metà di niente, Orsa Minore	Lodi	Lodi	Lombardia
Centro antiviolenza Le Lune	Guidonia	Roma	Lazio
Centro antiviolenza Liberadiosa	Sulmona	L'Aquila	Abruzzo
Centro antiviolenza Liberetutte	Terni	Terni	Umbria
Centro antiviolenza Luna	Lucca	Lucca	Toscana
Centro antiviolenza Mariella Gramaglia	Roma	Roma	Lazio
Centro antiviolenza Renata Fonte	Lecce	Lecce	Puglia
Centro antiviolenza Svolta Donna	Pinerolo	Torino	Piemonte
Centro antiviolenza Vittorio Veneto	Vittorio veneto	Treviso	Veneto
Centro antiviolenza del Comune di Roma DONATELLA COLASANTI E MARIA ROSARIA LOPEZ	Roma	Roma	Lazio
Centro antiviolenza Donatella Tellini, L'Aquila	L'Aquila	L'Aquila	Abruzzo
Centro antiviolenza-antistalking "La Nereide"	Siracusa	Siracusa	Sicilia
Centro contro la violenza Catia Franci. Associazione Artemisia	Firenze	Firenze	Toscana
Centro contro la violenza alle donne Roberta Lanzino	Cosenza	Cosenza	Calabria
Centro di accoglienza per donne che non vogliono più subire violenza Regione Lazio	Roma	Roma	Lazio
Centro di accoglienza per donne in difficoltà La Ginestra	Valmontone	Roma	Lazio
Centro di accoglienza per non subire violenza	Genova	Genova	Liguria
Centro di supporto e ascolto vittime di violenza Demetra - AOU Citta della Salute e della Scienza di Torino	Torino	Torino	Piemonte
Centro donna - Venezia	Mestre	Venezia	Veneto
Centro donna L.I.S.A.	Roma	Roma	Lazio

Nome Centro	Città	Provincia	Regione
Centro donna giustizia Ferrara	Ferrara	Ferrara	Emilia-Romagna
Centro donne contro la violenza	Torino	Torino	Piemonte
Centro regionale antiviolenza "Mondo Rosa"	Catanzaro	Catanzaro	Calabria
Centro Maree per donne vittime di violenza Regione Lazio	Roma	Roma	Lazio
Cerchi d'Acqua	Milano	Milano	Lombardia
Cooperativa Arcadia	Palermo	Palermo	Sicilia
Cooperativa Eva	Maddaloni	Caserta	Campania
Da donna a donna	Ronchi dei Legionari	Gorizia	Friuli-Venezia Giulia
Demetra donne in aiuto	Lugo	Ravenna	Emilia-Romagna
Donna Eleonora	Oristano	Oristano	Sardegna
Donna chiama donna - Siena	Siena	Siena	Toscana
Donna chiama donna - Vicenza	Vicenza	Vicenza	Veneto
Donna con te	Ascoli Piceno	Ascoli Piceno	Marche
Donne & Futuro	Torino	Torino	Piemonte
Donne Nuove	Trabia	Palermo	Sicilia
Donne contro la violenza / Frauen gegen Gewalt	Merano	Bolzano	Trentino-Alto Adige
Donne e Giustizia	Ancona	Ancona	Marche
Donne Insieme contro la violenza	Noviglio, Pieve Emanuele	Milano	Lombardia
DonneInsieme Sandra Crescimanno	Piazza Armerina	Enna	Sicilia
EOS Centro ascolto donne maltrattate Onlus	Varese	Varese	Lombardia
Erinna	Viterbo	Viterbo	Lazio
Estia Spazio Antiviolenza Iside	Mestre	Venezia	Veneto
GOAP	Trieste	Trieste	Friuli-Venezia Giulia
Giraffa	Bari	Bari	Puglia
Gruppo Giustizia Udi	Bologna	Bologna	Emilia-Romagna

Nome Centro	Città	Provincia	Regione
Gruppo donne e giustizia	Modena	Modena	Emilia-Romagna
Il Cerchio delle relazioni	Genova	Genova	Liguria
Il Coraggio di Frida	Sondrio	Sondrio	Lombardia
Incontro donne antiviolenza - Cremona	Cremona	Cremona	Lombardia
Io donna	Brindisi	Brindisi	Puglia
Iotunoivoi Donne Insieme	Udine	Udine	Friuli-Venezia Giulia
Iside Antiviolenza Sportello Sonia	Noale	Venezia	Veneto
L'Albero di Antonia	Orvieto	Terni	Umbria
L'Una per l'Altra. Centro antiviolenza di Viareggio	Viareggio	Lucca	Toscana
La Casa di Marinella	Acerra	Napoli	Campania
La Città delle Donne / Telefono Rosa di Piacenza	Piacenza	Piacenza	Emilia-Romagna
La Fenice - Teramo	Teramo	Teramo	Abruzzo
La Libellula / La Casa delle donne	Sulmona	L'Aquila Abruzzo	
La Nara	Prato	Prato	Toscana
Le Onde	Palermo	Palermo	Sicilia
LiberaMente percorsi di donne contro la violenza	Pavia	Pavia	Lombardia
Liberetutte	Montecatini Terme	Pistoia	Toscana
Linea Rosa	Ravenna	Ravenna	Emilia-Romagna
Mai più sole. Centro antiviolenza donne (Mai+Sole)	Savigliano	Cuneo	Piemonte
Marielle-Rompi il silenzio	Santarcangelo	Rimini	Emilia-Romagna
Me.Dea	Alessandria	Alessandria	Piemonte
Nuova Vita	Ragusa	Ragusa	Sicilia
Olympia de Gouges Onlus	Grosseto	Grosseto	Toscana
Onda Rosa	Nuoro	Nuoro	Sardegna
Osservatorio Giulia e Rossella	Barletta	Barletta-Andria-Trani	Puglia

Nome Centro	Città	Provincia	Regione
Parla con noi	Pesaro	Pesaro e Urbino	Marche
Percorsi donna	Sant'Elpidio a Mare	Fermo	Marche
Prendere il volo Centro per donne vittime di tratta a scopo di sfruttamento sessuale	Roma	Roma	Lazio
Progetto Aurora	Sassari	Sassari	Sardegna
Pronto donna	Arezzo	Arezzo	Toscana
Prospettiva Donna	Olbia	Olbia-Tempio	Sardegna
Rete Nazionale Antiviolenza "Frida Kahlo" Onlus	Barcellona Pozzo di Gotto	Messina	Sicilia
Rete centri antiviolenza	Siracusa	Siracusa	Sicilia
Riscoprirsi	Andria	Barletta-Andria-Trani	Puglia
Rompi il silenzio	Rimini	Rimini	Emilia-Romagna
SOS Donna Bologna	Bologna	Bologna	Emilia-Romagna
SOS Donna Faenza	Faenza	Ravenna	Emilia-Romagna
SOS Rosa	Gorizia	Gorizia	Friuli-Venezia Giulia
Safiya	Polignano a Mare	Bari	Puglia
Save-Centro antiviolenza e antistalking	Trani	Barletta-Andria-Trani	Puglia
Sostegno donna	Taranto	Taranto	Puglia
Sportello Artemisia	Cologno Monzese	Milano	Lombardia
Sportello Donna Aied	Novara	Novara	Piemonte
Sportello Donna Le Kassandre	Napoli	Napoli	Campania
Sportello Lilith	San Sebastiano Al Vesuvio	Napoli	Campania
Sportello Pari Opportunita CISS Borgomanero	Borgomanero	Novara	Piemonte
Sportello antiviolenza	Brindisi	Brindisi	Puglia
Sportello donna Arona	Arona	Novara	Piemonte
Sportello donna Sirio	Treviglio	Bergamo	Lombardia

Nome Centro	Città	Provincia	Regione
Sportello donna. C.I.S.A.S.	Marano Ticino	Novara	Piemonte
Stella Polare - Risorsa donna	Sora	Frosinone	Lazio
Telefono Donna	Potenza	Potenza	Basilicata
Telefono Rosa - Spazio Donna	Caserta	Caserta	Campania
Telefono Rosa Mantova	Mantova	Mantova	Lombardia
Telefono Rosa Piemonte	Torino	Torino	Piemonte
Telefono Rosa Treviso	Treviso	Treviso	Veneto
Telefono Rosa Verona	Verona	Verona	Veneto
Telefono donna	La spezia	La Spezia	Liguria
Telefono donna	Perugia	Perugia	Umbria
Telefono donna	Savona	Savona	Liguria
Telefono donna	Cuneo	Cuneo	Piemonte
Telefono donna Como	Como	Como	Lombardia
Telefono donna Foggia	Foggia	Foggia	Puglia
Telefono donna Lecco	Lecco	Lecco	Lombardia
Telefono donna Merate	Merate	Lecco	Lombardia
Telefono donna Milano	Milano	Milano	Lombardia
Thamaia	Catania	Catania	Sicilia
Trama di Terre	Imola	Bologna	Emilia-Romagna
Voce donna	Pordenone	Pordenone	Friuli-Venezia Giulia
Zero Tolerance	Udine	Udine	Friuli-Venezia Giulia

Glossario

Abuser: la persona che commette violenza, sia essa psicologica, sessuale, economica, domestica o mobbing.

BDSM: insieme di pratiche relazionali ed erotiche il cui acronimo sta per "Bondage e Disciplina, Dominanza e Sottomissione, Sadismo e Masochismo". È dunque l'insieme di pratiche e relazioni basate sulle dinamiche di dominazione e sottomissione, sempre disciplinate dal consenso e provviste di una *safe word*, ovvero una parola di sicurezza che serve a interrompere la pratica in caso di ripensamento o di superamento di un limite personale (è una vera e propria revoca di consenso a proseguire).

Catcalling o molestie di strada: il nome in inglese

indica il verso che si emette per chiamare un
gatto. Il termine include tutte le molestie verbali e i pedinamenti che avvengono per strada, in aree pubbliche, locali, mezzi pubblici a
mezzo di fischi, frasi molestanti, avance non
richieste e persistenti, gesti espliciti, suonate
di clacson, pedinamenti e così via.

Deepfake porn: "pornografia *deepfake*" o "pornografia falsa", quel tipo di pornografia digitale
che si avvale di software per sostituire il volto
di altre persone ai corpi di chi recita il porno.

Dickpic: foto non richiesta del pene, inviata tramite app di messaggistica istantanea o social
media. È a tutti gli effetti una molestia.

Doxing: divulgazione di informazioni private
e riservate (indirizzo, numero di telefono,
nickname dei social media e così via) di una
persona a terzi affinché venga bombardata di
messaggi da estranei. È una pratica piuttosto
utilizzata nella condivisione non consensuale
di materiale intimo e nelle chat di Telegram.

Gaslighting: "manifestazione psicologica mali-
gna", è un tipo di manipolazione subdola e
violenta che fa dubitare la vittima delle proprie azioni e dei propri ricordi, tramite una
serie di frasi e false informazioni come: «Non

ricordi che sei stata tu a dirlo?» e «Io non l'ho mai detto/fatto…».

Love bombing: pratica con la quale la persona abusante ricopre di attenzioni, gesti, frasi a effetto e regali la sua vittima con lo scopo di guadagnarne la fiducia. Spesso avviene all'inizio di una relazione e può essere un campanello di allarme in termini di tossicità.

NCII: "*Non Consensual Intimate Images*", è il modo anglosassone con cui si indica la condivisione non consensuale di materiale intimo.

Rape culture: "cultura dello stupro", è un'espressione usata negli studi di genere e sta a indicare una cultura in cui i media, le opinioni comuni e i prodotti mediatici, nonché sovente le sentenze dei tribunali, normalizzano e minimizzano la violenza di genere.

Revenge porn: condivisione non consensuale di materiale intimo o NCII. Il termine significa letteralmente "vendetta porno". Lo si usa in modo colloquiale per indicare questa fattispecie di reato ma è in realtà un termine impreciso perché la vendetta indica un'azione da dover punire e quindi una colpevolizzazione (che nel caso della condivisione non consensuale non dovrebbe esistere) e soprattutto non è porno, perché il porno è (dovrebbe essere) consensuale.

Slur: termine offensivo nei confronti di un'intera comunità. Gli *slur* possono essere sessisti (come la parola troia), omofobi, razzisti, classisti, abilisti.

Slut shaming: "stigma della puttana", consiste nel colpevolizzare la donna per avere determinati comportamenti, desideri sessuali, stili di vita, nonché per il suo modo di vestire e di esprimersi (sia verbalmente che artisticamente o caratterialmente). La donna diventa in questo senso colpevole di trasgredire i codici patriarcali. Frasi classiche sono: «Vestita così sei proprio una troia», «Sei una facile», «Così non ti vergogni?».

Stalking: atti persecutori che devono il loro nome all'atto di inseguire silenziosamente la preda. È una manifestazione della violenza di genere in cui la vittima diventa destinataria di minacce, molestie, atti lesivi, ma anche pedinamenti, *mail-bombing* e continue telefonate e messaggi, regali, scritte su muri o danneggiamento dei beni. Nasce dal desiderio di controllo dell'*abuser* sulla vittima.

Stealthing: violenza sessuale in cui il preservativo viene rimosso di nascosto durante l'atto penetrativo. Rientra nelle coercizioni riproduttive e nelle forme di stupro.

Survivor: persona che esce dal circuito della violenza e interrompe la catena di abusi.

Upskirt: foto scattate senza consenso sotto le gonne delle persone per strada o nei camerini dei negozi. È materiale che spesso finisce nelle chat di Telegram.

Victim blaming: "colpevolizzazione della vittima", avviene quando si imputa la colpa del reato alla persona che lo ha subito. Questa pratica accompagna da sempre, culturalmente parlando, le vittime di violenza di genere. Un classico esempio è: «Se esci di sera in minigonna te la vai a cercare».

Il linguaggio all'interno del libro: parlando del fenomeno sociale della violenza del genere maschile su quello femminile, quando uso il maschile plurale è molto spesso perché intendo riferirmi proprio agli uomini, che sono gli attori principali della violenza verso le donne. Non ho usato lo *schwa* perché, le poche volte in cui era necessario usare un plurale collettivo, ho scelto di utilizzare il termine "persone".

Ringraziamenti

Ci sono voci autorevoli qui dentro, che mi ispirano e mi hanno ispirata in questi anni. Andrea Gentile, che per primo mi ha fatto tornare la voglia di scrivere, mangiandomi via la sindrome dell'impostore che mi porto dentro da sempre. Michela Murgia, per il suo lavoro encomiabile, i confronti preziosi e la forza di farmi fare sempre un passo in più, per ricordarmi che sono tenace anche quando mi sento un grosso Trudi; Silvia Semenzin, per essere una grande alleata e una delle voci più preziose che abbiamo in Italia e in Europa per quanto riguarda la lotta alla violenza di genere, soprattutto nelle sue forme digitali; Eugenia Fattori e Giulia Paganelli per i confronti sulla complessità e perché mi ricordano di essere meno scorpione; Alessandra Carrozza, che con la terapia cognitivo-comportamentale mi ha salvato la vita; Sveva e Valentine, perché mi aiutano con la loro professionalità nel dare aiuto alle persone *survivor*: siete salvezza, letteralmente; la rete di attivismo che sta cambiando il mondo e che sta cambiando anche me, insegnandomi ogni giorno cose nuove.

Guia, Angelica, Anna, Abra, Giulia, Alice, Francesco, Alessia e Vittoria perché sono la mia vera squadra, offline e con costanza.
Senza di voi non sarei quella che sono e senza di voi sarei sicuramente più sobria. Ma siete la famiglia che mi sono scelta e che mi ha accolta senza mai volermi cambiare. Prima di voi non sapevo cosa fosse la vera amicizia.

A G., che quella notte è scappata con me, per ricominciare la vita da zero, a trecentocinquanta chilometri dalla casa degli orrori.

Finito di stampare nel mese di ottobre 2021
presso DECIBEL GROUP S.r.l., Lainate (Milano)

Printed in Italy